Un Conte
pour chaque
soir

UN CONTE POUR CHAQUE SOIR

Raconté par
Vratislav Šťovíček
Illustré par
Karel Franta

Gründ

Adaptation française de Jean et Renée Karel
Arrangement graphique par Roman Rogl
© 1982 by Artia, Prague
Et pour la traduction française:
© 1983 by Gründ, Paris
ISBN 2-7000-1662-9
Deuxième tirage 1984
Dépôt légal: septembre 1984
Imprimé en Tchécoslovaquie par Svoboda, Prague
1/99/29/53-02
Loi n° 48-956 du 16 juillet 1949
sur les publications destinées à la jeunesse

JANVIER

Pourquoi le hibou est devenu le roi des oiseaux

Jadis, les oiseaux étaient beaucoup plus raisonnables que les humains. La seule loi qu'ils connaissaient était la loi d'amour. Ils n'éprouvaient jamais envie ni haine. Un jour, un homme méchant arriva au royaume des oiseaux.

«Pourquoi, dit-il au paon, ne règnes-tu pas sur les autres : tu es tellement plus beau!»

Ces paroles flattèrent le paon qui se mit à regarder avec complaisance son image dans la fontaine.

«Pourquoi fréquentes-tu tous ces petits oiseaux de rien du tout? demanda l'homme à l'aigle. Tu es le plus fort, d'un coup de bec, tu pourrais arracher la tête à cette misérable caille!» L'aigle se gonfla d'orgueil et mit en miettes le nid de la petite caille.

Pourquoi le hibou est devenu le roi des oiseaux

Peu à peu, le royaume des oiseaux devint le royaume du désordre. Jusqu'au jour où un petit colibri convoqua l'assemblée des petits oiseaux et ils gagnèrent en troupe nombreuse le sommet de la montagne où siégeait l'aigle puissant. Ils lui dirent :

«Tu es le plus fort d'entre nous : c'est à toi de faire régner l'ordre.»

Ce discours plut à l'aigle qui se cherchait déjà un sceptre quand le mauvais homme lui insinua :

«Il vaut mieux choisir le hibou! Il a des

yeux qui voient la nuit, mais le jour quand les autres oiseaux jouent, il dort comme une souche!»
L'aigle jugea que l'idée était bonne et il fit monter le hibou sur le trône. Et le royaume des oiseaux ne retrouva pas la paix.

3 JANVIER

La fille du roi et la grenouille

Une jeune princesse jouait dans le jardin avec une balle d'or. Soudain, sa balle roula jusqu'au fond d'un puits. Une horrible grenouille apparut à la surface de l'eau et dit :
«Ne pleure pas, fille du roi! Si tu me promets que tu me laisseras venir à table, manger dans ton assiette d'or, puis coucher dans ton lit, je te rendrai ta balle d'or.»
La princesse promit et le soir même, le roi donnait un grand festin pour toute sa cour. Au plus joyeux moment, une étrange voix coassa :
«Princesse, tu as donné ta parole. Remplis tes promesses!»
La princesse demanda secours au roi, mais celui-ci dit :
«Parole royale est parole d'or. Remplis tes promesses!»
La malheureuse princesse dut prendre la grenouille sur ses genoux et manger avec elle.
«J'ai sommeil maintenant, dit la grenouille. Mène-moi dans ta chambre!»
La princesse courut vers sa chambre mais la grenouille lui fila entre les jambes et sauta droit dans le lit. La princesse domina sa peur, saisit la grenouille et la projeta sur le plancher. La grenouille avait à peine tou-

ché le sol qu'elle se changea en un beau prince.

4 JANVIER

La fille du roi et la grenouille

La princesse, bien heureuse maintenant, s'entretint jusqu'à l'aube avec le charmant prince. A peine la première clarté de l'aurore avait-elle touché les vitres, que l'on entendit le bruit d'un carrosse qui s'arrêtait sous la fenêtre.
«C'est Henri, mon fidèle serviteur! s'écria joyeusement le prince. Il va nous conduire à mon palais et nous y célébrerons nos noces!»
La princesse prit congé du roi, son père, et partit avec son fiancé.

5 JANVIER

Le prince Bayaya

Il était une fois un roi fort pauvre et qui n'avait qu'un fils. Un jour, il le manda auprès de lui et lui dit :
«Mon fils, notre pays souffre de bien grands maux puisque les souris elles-mêmes meurent de faim dans notre palais. Il ne te reste plus qu'à seller mon fidèle cheval blanc et t'en aller.»
Le prince se mit en chemin et, pour

noires bannières pendaient aux fenêtres et on ne pouvait ouïr que gémissements. Un affreux dragon à neuf têtes s'était introduit dans cet heureux royaume et avait ordonné à son souverain de lui amener ses trois charmantes filles, sous peine de voir tout le pays ravagé. Aucun des chevaliers du royaume n'osait affronter le monstre. Dans le jardin du palais, le prince vit les trois malheureuses princesses. La plus belle des trois était la plus jeune. Il cueillit une rose à un rosier blanc et la lui tendit en souriant. «Ton sourire me réchauffe le cœur, murmura-t-elle. Comment t'appelles-tu?

— Bayaya, répondit le prince.

— Hélas, malheureux, tu es muet! Reste avec nous dans ce jardin, ton

oublier ses regrets, se prit à chanter. «C'est chanson d'un cœur pur que celle dont tu accompagnes mes pas, lui dit son cheval. Tu auras en moi le plus fidèle des serviteurs. Si tu suis mes conseils, ils te porteront bonheur.»

Le prince fut étonné d'entendre son cheval parler. Quelque temps après, ils pénétrèrent dans un royaume étranger. Le cheval blanc frappa la terre de son sabot, elle s'entrouvrit et ils se retrouvèrent dans une grande grotte tapissée d'or.

«Il faut nous séparer, dit le cheval. Prends du service au palais royal mais, attention, sois muet comme une carpe. Quelque question que l'on te pose, réponds seulement ''Bayaya''. Si tu as besoin de moi, reviens et frappe trois fois!»

6 JANVIER

Le prince Bayaya et les trois belles princesses

Qu'elle était donc triste, la capitale vers laquelle se dirigeait le prince! De

sourire soulagera un peu notre désespoir!»

Le prince y consentit volontiers. Plusieurs fois elles lui demandèrent qui il était et d'où il venait, il ne répondait

8

surgit un chevalier inconnu qui se rua sur le monstre. Qui aurait pu imaginer que ce courageux champion était Bayaya? La bête rugit de colère et ses neuf gueules vomirent un torrent de flammes. D'un bond audacieux, le chevalier s'approcha et trancha les têtes hideuses. Mais chaque fois qu'une tête roulait à terre, il en repoussait une autre. Bayaya s'épuisait et on pouvait craindre qu'il ne succombât. La plus jeune des princesses lui tendit sa rose blanche et le prince reprit le combat : bientôt la dernière tête roula sur terre. Le prince alors coupa la langue du monstre, la mit dans son escarcelle et disparut. Quand les princesses revinrent au palais avec leur père, elles trouvèrent sur le seuil le pauvre muet Bayaya.

«Hélas, infidèle ami, tu nous a abandonnées au temps du malheur, lui reprocha la plus jeune princesse. Mais je te pardonne, grâce à ton sourire.

— Bayaya», répondit le prince, toujours souriant.

Ce soir-là, la princesse trouva sur son oreiller une rose blanche. Qui donc l'y avait déposée?

8 JANVIER

Le prince Bayaya et la pomme d'or

La jeune princesse ne pouvait oublier son sauveur. Le soir, le roi fit mander ses filles et leur dit :

«Il est temps, maintenant, que je vous cherche des fiancés.»

Il fit inviter au palais les princes les plus fameux et tendit à chacun une

toujours que «Bayaya». Si bien, qu'elles l'appelèrent Bayaya.

La veille du jour fatal, le prince s'échappa du palais pour aller rejoindre son blanc cheval.

«Dans une brique de ce mur, tu trouveras une épée enchantée, lui dit le cheval quand il lui eut conté la chose. Aux premiers rayons du soleil, nous irons au combat!»

7 JANVIER

Le combat du prince Bayaya contre le dragon à neuf têtes

Le lendemain, le vieux roi et ses trois filles infortunées se rendirent au repaire du dragon. Neuf flammes sortirent de la caverne et neuf affreuses têtes apparurent, mais tout à coup,

9

pomme d'or. Bayaya se présenta aussi. Le roi déclara :
«Celui d'entre vous dont la pomme roulera jusqu'aux pieds d'une de mes filles l'aura pour épouse.»
Longtemps, tous les princes tentèrent leur chance. Enfin, deux des pommes roulèrent jusqu'aux pieds des deux princesses les plus âgées. Alors Bayaya lança la sienne qui se dirigea tout droit vers la cadette. Celle-ci éclata en sanglots. Bayaya alors disparut. Mais un jour, se présenta un beau chevalier galopant sur son coursier blanc.
«Je suis Bayaya, ton sauveur et ton fiancé, proclama-t-il, et comme preuve, il sortit la langue du dragon. Si tu ne veux pas de moi, je te délie de la promesse du roi, ton père!»
Mais la princesse, sans plus attendre, se jeta au cou de son sauveur. C'est ainsi que le prince Bayaya trouva le bonheur. Et son fidèle cheval blanc? Il s'évanouit en fumée.

9 JANVIER

Le berger malin

N'avez-vous jamais entendu parler du petit berger qui était si malin? Le roi le fit venir au palais et lui dit :
«Si tu réussis à répondre à trois ques-

10

tions, je ferai de toi mon héritier.»
«Combien y a-t-il de gouttes d'eau dans la mer?

— C'est bien difficile, Sire le Roi! Mais, s'il vous plaît, ordonnez que l'on arrête tous les fleuves qui se déversent dans la mer pour que je puisse les compter.

— Combien y a-t-il d'étoiles dans le ciel?»

Le berger tira de sa poche trois petits sacs de minuscules graines de pavot, les répandit à terre et dit :
«Il y a autant d'étoiles au ciel que de graines de pavot à vos pieds, comptez-les vous-même!»

Le roi se prit à rire :
«Bien! Combien y a-t-il de secondes dans l'éternité?»

Le berger répondit :
«Au bout du monde, s'élève la Montagne de Diamant. Tous les cent ans, un petit oiseau vient s'y aiguiser le bec. Quand la montagne sera complètement usée, la première seconde de l'éternité se sera écoulée.»

Le roi éclata de rire :
«Mon petit ami, je fais de toi mon héritier!»

les bois. Le renard n'en fit qu'une bouchée.

Elles allèrent exposer l'affaire au loup qui dit :
«Faites-moi venir ce renard!»

Les poulettes allèrent chercher le renard et le loup n'en fit qu'une bouchée.

Elles s'en allèrent trouver l'ours :

10 JANVIER

La dispute des deux poulettes

Deux poulettes se disputaient un grain de blé : elles allèrent trouver le coq qui leur ordonna :
«Apportez-moi ce grain!»

Elles l'apportèrent et il le goba.

Elles allèrent dans les bois s'en plaindre au renard.

«Amenez-moi ce coq!» dit le renard.

Les poules entraînèrent le coq dans

«Nous avions querelle à propos d'un grain de blé et le coq l'a gobé. Le renard a mangé le coq. Le loup a égorgé le renard. Tout cela est injuste!»

«Amenez-moi ce loup!» grommela l'ours.

Et quand les poules lui eurent obéi, il le croqua et s'écria :

«Et maintenant, faites-moi le plaisir de retourner bientôt à votre basse-cour, sinon je vous mange aussi!»

La renarde et le chat

La renarde était connue pour se piquer d'élégance. Dès qu'un bal était annoncé dans la forêt, elle se parait et s'attifait.

«Je suis la plus belle de toutes les bêtes de la forêt», répétait-elle à tout venant.

Un jour, un pauvre chat la rencontrant en ce brillant équipage, s'écria :

«Par ma foi, commère renarde, comme vous voilà belle!»

La renarde en manqua d'éclater de vanité :

«Pauvre sot! La chance sourit à ceux qui la méritent. As-tu quelques bons tours dans ta pauvre tête?

— Il me suffit d'être capable de grimper aux arbres pour échapper aux chiens, répondit le chat.

— Moi, je dispose pour chaque chien d'un plein sac de ruses», dit la renarde.

Sur quoi survinrent dans la forêt des chasseurs avec leur meute. Le chat, d'un seul bond, se percha dans un arbre et cria :

«Vite, vite, commère renarde! Il est temps d'ouvrir votre sac à malices!»

Mais, hélas! Les chiens avaient déjà égorgé la renarde.

«Hé bien, vous voyez, ma commère, se dit le chat, ma seule pauvre ruse valait tout votre sac de bons tours!»

Les princesses changées en oies

Il était une fois un roi qui avait deux filles. Les petites princesses étaient pleines de méchanceté.

Un jour, une oie, accompagnée de ses petits, se vint promener au bord du lac, dans le jardin. Dès que les princesses l'aperçurent, elles se mirent

à lui lancer des pierres.

«Attendez un peu!» gloussa l'oie.

Les princesses ne firent qu'en rire mais, le lendemain matin quand elles se réveillèrent, elles se virent un corps couvert de plumes et un bec au milieu du visage.

«Seigneur, s'écrièrent-elles, nous voilà changées en oies!»

Un beau matin, une servante un peu nigaude, qui voulait du duvet pour son oreiller, attrapa les deux premières oies qu'elle rencontra et se mit à les plumer toutes vives. Quel choc elle éprouva quand elle eut arraché le dernier duvet. Devant elle se tenaient les deux princesses, le crâne nu comme un œuf!

«Oh! pardonnez-moi, Vos Altesses les oies, heu . . . heu . . . les princesses!»

Mais les princesses, sans répondre, s'en allèrent, tout en pleurs, se cacher sous leur lit. Qui sait si leurs cheveux ont déjà repoussé?

13 JANVIER

La fiancée du diable

Il était une fois un cornemuseur qui avait une fille belle comme le jour. Sa renommée parvint jusqu'en enfer. Il y avait justement là un diable fort sot qui songeait à prendre femme. Il se rendit chez le cornemuseur :
«Accorde-moi la main de ta fille sinon je te mène tout droit en enfer!»
La jeune fille n'était présentement pas à la maison. Le rusé cornemuseur répondit :
«Mais comment donc, camarade! Je ne l'ai pas sous la main. Cette méchante fille m'a fait tant enrager que je l'ai enfermée dans l'étable.»
Ce qu'entendant, le diable se précipita dehors pour aller faire sa cour. Par la porte de l'étable se voyait la tête barbue du bouc.
«Par tous les diables, se dit joyeusement le prétendant, voilà une douce beauté qui fera une parfaite diablesse! Elle a des cornes dignes de Lucifer, le menton comme une brosse de chiendent, tout un chacun me l'enviera!»

Mais le bouc, fou de rage, administra au tendre soupirant un tel coup de corne qu'il le renvoya droit en enfer.

14 JANVIER

La flûte enchantée

Par-delà les neuf rivières et par-delà les neuf montagnes, vivait une fois une princesse fort prétentieuse. Un jour survint un jeune vagabond qui possédait une flûte enchantée. Il joua pour les roses blanches et il en sortit une demoiselle toute blanche. Il joua pour les bleus myosotis et il en sortit un chevalier dans une armure bleue. «Quel beau jouet!, s'écria la princesse depuis sa fenêtre.
— Je te le donnerai volontiers, répondit le vagabond, si tu me promets de jouer pour le bonheur des fleurs et des gens.»

La princesse promit tout ce qu'on voulut mais ne tint pas ses serments. Elle joua le première fois et il sortit de la flûte une araignée qui tissa autour

d'elle trois noires toiles. La princesse joua pour la deuxième fois et il sortit de la flûte une guêpe dorée qui piqua trois fois la princesse. Tout en pleurs, celle-ci jeta la flûte et courut se plaindre au palais.

«L'enchantement n'opère que pour les cœurs généreux», lui dit le vagabond.

15 JANVIER

Les musiciens de la ville de Brême

Il y avait une fois un âne qui, toute sa vie, avait peiné. Comme il était devenu vieux, son maître résolut de le livrer à l'équarrisseur. L'âne décida d'aller dans la ville de Brême pour s'y faire musicien.

En chemin, il rencontra un vieux chien, un chat errant et une chèvre pelée. Près d'une ferme, ils entendirent un coq qui coqueriquait son dernier chant. L'âne l'invita :

«Viens avec nous dans la ville de Brême, il y a là une fanfare, nous nous ferons musiciens.»

Le coq donc s'en fut avec eux et ils arrivèrent devant la chaumière des brigands. L'âne regarda par la fenêtre et vit les hôtes des lieux occupés à dîner.

«Donnons une aubade à ces bonnes gens, sans doute nous offriront-ils quelque bon morceau!»

Ce fut un beau tintamare! Les brigands eurent grand-peur et se ruèrent dehors. Nos musiciens prirent place à la table abondamment servie et quand il ne resta plus une miette, allèrent se coucher.

16 JANVIER

Les musiciens de la ville de Brême

Les brigands s'étaient enfuis de la chaumière et finalement, ils s'arrêtèrent dans le bois et tinrent conseil. Ils

étaient encore tout effarouchés :
«Devant quoi vous êtes-vous sauvés comme des lapins, mauvais besaciers? gronda le capitaine.

— Mais . . . nous avons couru derrière toi!»

De là, dispute et querelle, et finalement, le chef s'en fut lui-même en reconnaissance. Dans la chaumière obscure, le capitaine entra et s'approcha de la cheminée où rougeoyaient encore deux braises afin de ranimer le feu. Qu'avait-il fait! Ce n'étaient pas des braises mais les yeux du chat qui sortit ses griffes et lui laboura la barbe, feulant et crachant si fort que le malheureux brigand prit la fuite. Sur le seuil, il marcha sur la queue du chien à qui cela ne plut pas. Il planta ses crocs dans le mollet de son agresseur et le projeta sur le fumier où le brigand réveilla l'âne qui lui caressa l'échine de ses sabots, puis la chèvre qui y alla de ses cornes. Pour achever le tout, le coq s'attaqua de son bec en criant :
«Cocorico! Cocorico! Sus aux brigands!»

Le malheureux capitaine s'enfuit vers le bois en criant :
«La chaumière est pleine de diables, ils griffent, ils mordent et donnent des coups de bâton!»

Ce qu'entendant, les brigands prirent leurs jambes à leur cou et on ne les revit jamais.

17 JANVIER

Rose-Neige et Rouge-Rose

Il y avait une fois une pauvre chaumière dans le jardin de laquelle poussaient deux rosiers. L'un portait des roses blanches et l'autre des roses rouges. Dans cette chaumière vivait une pauvre veuve qui avait deux filles belles comme le jour. La première se nommait Rose-Neige parce qu'elle était blanche comme un blanc bouton de rose. La seconde avait nom Rouge-Rose car la timidité la faisait tout le temps rougir comme un bouton de rose rouge. Elles s'en allaient dans les bois et, parfois, dormaient sur la mousse jusqu'aux premiers feux de l'aurore. Au printemps, les jeunes filles cueillaient un beau bouquet : une rose rouge, une rose blanche et la plus belle des fleurs pour leur chère maman. Une année, l'hiver fut effroyablement rigoureux. Un soir, on frappa à la porte de la

chaumière : un ours énorme passa la tête et demanda d'une voix humaine : «Bonnes gens, laissez-moi me réchauffer un peu!»
Epouvantée, la blanche colombe se cacha derrière la maie, l'agnelet la suivit et aussi Rose-Neige et Rouge-Rose. Mais la maman intervint :

chercher ce qu'ils peuvent voler.»
Il prit congé courtoisement mais, comme il passait la porte, sa fourrure se prit à un vieux clou et, par la déchirure, on vit briller comme de l'or.
Un beau matin, Rose-Neige et Rouge-Rose s'en furent au bois. Elles entendirent de grands cris et virent

«N'ayez pas peur, mes enfants, l'ours n'est pas méchant.»
Les fillettes reprirent courage et installèrent l'animal près de l'âtre. Ils firent si bien amitié que, de tout l'hiver, l'ours ne quitta pas la chaumière.

18 JANVIER

Rose-Neige et Rouge-Rose

Quelle joie dans la chaumière! Rose-Neige et Rouge-Rose ne cessaient de jouer avec leur ami l'ours. Mais quand vint le printemps, l'ours voulut quitter la chaumière :
«Il me faut veiller sur mes trésors que les méchants nains veulent me prendre. Quand le sol est gelé, ils restent sous terre, mais maintenant, ils vont

dans l'herbe un nain très laid; sa barbe s'était prise dans la fente d'une souche et il ne pouvait s'en délivrer. Les fillettes coururent à son aide, mais la barbe restait prise. Finalement, Rose-Neige de ses ciseaux coupa les poils emprisonnés.
«Voyez-moi les sottes péronelles, jura le nain. Endommager ainsi ma physionomie!»
Sans merci, il ramassa dans l'herbe une cruche pleine de pièces d'or et disparut sous terre. Mais les fillettes rencontrèrent encore une fois le petit homme. C'était auprès de la rivière, il s'était emmêlé la barbe dans sa ligne et un gros poisson menaçait de le faire tomber à l'eau. Il criait à l'aide. Les fillettes vinrent encore une fois à son secours, encore une fois elles

ne purent démêler la barbe et la lui coupèrent jusqu'au menton. Le nain jeta encore les hauts cris, saisit dans les roseaux un sac de perles et regagna ses souterraines demeures.

«C'est bien la dernière fois que nous venons en aide à ce malotru», se dirent les fillettes.

Et elles s'en retournèrent à la maison.

19 JANVIER

Rose-Neige et Rouge-Rose

Un jour, Rose-Neige et Rouge-Rose s'en furent à la ville, et encore une fois, elles rencontrèrent leur nain ingrat, menant un combat désespéré contre un aigle. Oubliant leurs serments, elles se précipitèrent et l'arrachèrent aux griffes de l'oiseau.

«Petites gredines, vous avez mis ma veste en lambeaux!» s'écria le nain. Il ramassa un sac de pierres précieuses et disparut. Le soir, cependant, sur le chemin du retour, elles l'aperçurent qui jouait avec des diamants.

«Qu'est-ce que vous venez fouiner par ici?» cria-t-il.

Mais alors apparut un grand ours, il se dirigea droit sur le nain qui lui cria :

«Sire l'ours, dévorez plutôt ces vilaines filles!»

L'ours lui donna un tel coup de sa patte puissante que le nain tomba mort sur l'herbe. Rose-Neige et Rouge-Rose prirent la fuite, mais l'ours les appela :

«Ne craignez rien! C'est moi, votre ami ours!»

L'ours rejeta sa fourrure et elles virent devant elles un beau prince dans ses habits d'or :

«Cet affreux nain m'avait volé tous mes trésors et m'avait changé en ours. Maintenant qu'il est mort, je suis délivré de cet enchantement.»

A ces mots, surgit devant eux un carrosse doré, le prince y prit place avec Rose-Neige et Rouge-Rose et ils allèrent à la chaumière chercher la maman, la blanche colombe et l'agnelet. Puis tous s'en furent au palais du roi. Le prince épousa la jolie Rose-Neige

et la charmante Rouge-Rose devint la femme de son frère. Et chaque fois qu'un bouton éclôt sur un des arbustes, il naît au palais un enfant, certains blancs comme une rose blanche et d'autres roses comme une fleur vermeille.

20 JANVIER

Histoire de Poucet

Dans une chaumière vivait un brave laboureur avec sa femme. Ils n'avaient point d'enfants et la pauvre femme soupirait souvent :
«S'il nous venait un petit enfant, même pas plus gros que mon pouce!»
Un beau jour un garçon naquit dans la chaumière. Il n'était pas plus grand que le pouce de sa maman mais il remplissait la chaumine de ses malices et de son gai babillage. Ils le nommèrent Poucet.

21 JANVIER

Histoire de Poucet

Un jour que le laboureur était parti au bois, Poucet dit à sa maman :
«Selle le cheval que je rejoigne mon père dans la forêt.»
La maman joignit les mains :
«Toi, mon pauvre petit! Tu ne pourrais point atteindre seulement le dos de l'animal!»
Mais le cheval se pencha pour que le petit garçon pût se fourrer dans son oreille et les voilà partis comme le vent.
Sur ce chemin venaient deux coquins qui furent bien étonnés :
«Qu'est-ce donc! Une voiture sans cocher et cependant quelqu'un presse de la voix le cheval!»

Dans la clairière ils virent un tout petit bonhomme jaillir de l'oreille du cheval et se précipiter sur la paume offerte de son père tout fier de l'exploit de son fils.

18

Histoire de Poucet

Dès qu'ils virent Poucet, nos deux fief-fés coquins se dirent que ce petit être pourrait leur rapporter bien de l'argent s'ils l'exhibaient dans les foires et ils allèrent proposer au brave laboureur de lui acheter son fils.
Celui-ci n'en voulut rien entendre.
Mais Poucet se hissa sur son épaule et lui murmura :
«Acceptez le marché, mon père, ce serait sottise de refuser!»
Le père s'en défendit d'abord puis accepta. L'un des acheteurs enfouit Poucet dans sa besace qui était pleine de ducats. Poucet les jeta tous, l'un après l'autre, sur le chemin que devait suivre son père. Quand la besace fut vide, il se mit à réclamer que l'on le sortît de là. Un des coquins le mit sur son chapeau et ils continuèrent.
Mais tout à coup, le petit garçon se mit à crier :
«Au secours! Posez-moi par terre! J'ai mal au ventre!»
Dès qu'il fut à terre, Poucet se fourra dans le premier trou de souris et s'enfuit par les galeries souterraines.
Quand il regagna la lumière, il se tapit dans une coquille d'escargot et s'y endormit.

Histoire de Poucet

Quand Poucet s'éveilla, il reprit son

chemin. Cependant un loup qui passait par là avala le petit bonhomme. Mais Poucet trouva un stratagème et cria :

«Compère loup, pourquoi n'allez-vous pas à notre chaumière? Notre réserve est pleine de bonnes choses comme vous ne pouvez imaginer!»

Le loup ne se le fit pas dire deux fois, il sauta dans la réserve par l'étroite lucarne et se mit à manger; il mangea tant qu'il ne pouvait plus repasser par où il était venu. Alors Poucet se prit à crier :

«Père, au secours! Je suis dans le ventre du loup!»

Entendant cela, le père saisit sa hache, tua le loup, lui ouvrit le ventre d'où sortit Poucet, triomphant.

24 JANVIER

Le présent de la princesse des mers

Il était une fois un jeune pêcheur qui

était allé bien loin sur la mer. Il aperçut dans son filet un étrange poisson qui avait de beaux yeux et portait une clé d'or sur la poitrine.

«Je suis la fille du roi des mers, dit le poisson. Si tu me rends ma liberté, je t'emmènerai dans le royaume sous-marin et tu recevras une récompense.»

Le pêcheur suivit le poisson. Il se sentait à l'aise plongé dans les ondes. Ils traversaient les eaux et parvinrent à un palais tout de perles et de corail. Le poisson se transforma alors en une ravissante princesse. Elle guida le pêcheur par des salles aux parois de perles, jusqu'à une chambre d'or qui contenait les trésors de toutes les mers.

«Choisis ce que tu désires», lui dit-elle en lui tendant sa clé d'or pour ouvrir les coffres.

Le pêcheur était bien embarrassé quand s'avança vers lui une belle jeune fille au corps recouvert d'écailles d'argent qui lui murmura : «Ne demande qu'un simple coquillage.»

Le pêcheur l'écouta et, quand il eut formulé son désir, la princesse le fit reconduire à la porte du palais. La jeune fille aux écailles d'argent l'attendait sur le seuil. Dès qu'ils eurent franchi les portes, elle se changea en un poisson d'argent et le guida à travers les profondeurs.

25 JANVIER

Le présent de la princesse des mers

Le poisson d'argent était si beau et si

parents fussent ici!» s'écria-t-il.
La chaumière alors surgit sous ses yeux et, sur le seuil, se tenaient deux vieilles gens.
«Nous avons bien longtemps dormi», disaient-ils, tout étonnés.
Et ils accueillirent avec joie leur fils et sa fiancée. Le coquillage magique remplissait tous leurs souhaits.
Le jeune pêcheur devint roi et sa jolie princesse argentée fut la reine.

La bonne vieille et le rat

charmant que le jeune homme en tomba amoureux.
«Quel dommage que tu ne puisses vivre sur la terre ferme, lui dit-il. Je t'aurais demandé de devenir ma femme.»
Mais le poisson répondit :
«Fie-toi à ton coquillage, il a le pouvoir de remplir tous tes souhaits.»
Le pêcheur lui obéit, ils prirent pied sur la berge et, aussitôt, le poisson d'argent devint une charmante jeune fille. Mais le jeune homme cherchait en vain la chaumière de ses parents. Pendant qu'il était au palais, un siècle s'était écoulé.
Le jeune homme se désolait.
«Comme je voudrais que mes vieux

Une bonne vieille habitait dans une

maison de papier sur une colline de papier. Elle eut, un jour, la visite d'un méchant rat :
«Je m'en viens habiter avec toi, grand-mère, lui dit-il brutalement, et si cela ne te plaît pas, je rongerai ta maison.
— Et pourquoi donc ça ne me plairait pas, lui répondit la maligne vieille. Je serais bien heureuse de ne plus être toute seule! Et si nous jouions aux devinettes?»
Le rat en fut d'accord et s'installa dans la main que lui offrait la bonne vieille.

21

«Je commence : dis-moi, bonne vieille, combien le moineau fait-il de pas en cent ans?

— Nenni, il n'en fait point. Le moineau sautille et ne marche pas.»

La bonne vieille hocha la tête :

«C'est maintenant à toi de deviner. Qu'est-ce que c'est : ça a des yeux de chat, des pattes de chat, une queue de chat, une moustache de chat et ça s'apprête à te sauter dessus.

— Un..un..un chat», balbutia le rat épouvanté.

Et il s'enfuit sans demander son reste, tandis que la bonne vieille, tout heureuse d'en être débarrassée, s'exclamait en riant :

«Mais ce n'était pas un vrai chat, ce n'était qu'une devinette!»

27 JANVIER

Le grand maître
de la corporation des voleurs

Il y avait une fois un pauvre paysan qui était occupé à planter les arbustes dans son jardin. Un étranger, vêtu comme un seigneur, passa et cria : «Comment se fait-il que tu sois seul pour accomplir ce dur travail? N'as-tu point de fils pour t'aider?

— Hélas, répondit le paysan, j'avais un fils, mais il s'est enfui de la maison.»

L'étranger se mit à rire et demanda si la paysanne ne pouvait lui cuisiner quelque plat rustique :

«J'en ai assez des nourritures compliquées», soupira-t-il.

La bonne femme lui cuisina des croquettes de pommes de terre tandis que, depuis le seuil, l'étranger observait comment le paysan attachait les jeunes arbustes à des tuteurs et il demanda :

«Pourquoi ne lies-tu pas aussi les arbustes plus vieux qui ont déjà poussé?

— On voit bien que tu n'y connais rien, expliqua le pauvre homme. On ne peut redresser un vieil arbre. Si tu veux obtenir des troncs bien droits, c'est dans leur jeunesse qu'il te faut maintenir tes arbres.

— Il en va de même pour les gens, mon père! Je suis ton fils perdu. Si dès mon jeune âge, tu m'avais tenu d'une main ferme, tu aurais fait de moi

22

un homme honorable. Au lieu de cela, je suis devenu un voleur de grands chemins. Mais je suis le grand maître de la corporation des voleurs et je n'ai pas fait de mauvaises affaires!»

Ce disant, il montra une pleine besace de ducats au paysan et à sa femme qui se mirent en colère :

«Que dirait ton parrain, notre seigneur? S'il savait cela, il te pendrait haut et court!»

Mais le fils retrouvé ne fit qu'en rire :
«Bah! cela m'étonnerait bien qu'il se fût enrichi, lui. D'ailleurs, j'irai demain lui rendre visite!»

28 JANVIER

Le grand maître
de la corporation des voleurs

Quand, le lendemain, le fils du paysan se présenta à son parrain et lui révéla quelle industrie il avait pratiquée, le digne seigneur prit un visage sévère :
«Je devrais te livrer au bourreau. Mais je te ferai grâce si tu accomplis les trois tâches que je vais t'assigner. Tout d'abord tu devras voler dans mes écuries mon cheval préféré. Puis tu t'introduiras dans ma chambre et tu déroberas à mon épouse l'anneau qu'elle porte au doigt et le drap sur lequel elle repose. Si le succès couronne ton entreprise, il te faudra enlever Monsieur le Curé et son sacristain. Si tu mènes tout cela à bien, tu auras prouvé que tu es vraiment le grand maître de la corporation des voleurs. Sinon, il en ira de ta tête!»

L'astucieux malandrin se mit aussitôt à l'œuvre. Il se déguisa en vieille femme et prit une cruche de vin auquel il avait mêlé une poudre somnifère et se rendit aux écuries du seigneur. Trois valets y veillaient. L'un était monté sur le cheval, le second le tenait par la bride et le troisième était cramponné à sa queue. Ils interpellèrent la prétendue vieille :
«Hé, grand-mère, où vas-tu ainsi?
— Je viens, mes enfants, vous porter un peu de vin que le seigneur vous envoie.»

Les trois gardiens se jetèrent sur le vin et tombèrent bientôt dans un profond sommeil. Le voleur déposa celui qui montait le cheval à califourchon sur une poutre du toit, mit une ficelle dans la main de celui qui tenait la bride et une poignée de paille dans celle du valet qui tenait la queue. Quand le seigneur se rendit le matin dans son écurie, il ne put s'empêcher de rire.

«Mais, attends un peu, brigand : ce soir, je ferai meilleure garde!» se dit-il.

Le grand maître
de la corporation des voleurs

Le soir, le seigneur se posta, le fusil à la main, auprès du lit de son épouse et attendit le voleur. Celui-ci décrocha du gibet un brigand qu'on y avait pendu la veille. Il appliqua une échelle au mur du château et poussa jusqu'à la fenêtre la tête du pendu. Le seigneur tira une salve et se précipita dehors pour voir s'il avait touché son voleur. Il le trouva mort :

«Malheureux, pensa-t-il, tu t'es pris à ta propre malice!»

Et il se mit à creuser une tombe. Pendant ce temps, le voleur se glissa dans la chambre et murmura à la dame : «C'est moi, ton époux! Nous n'avons plus rien à craindre, j'ai abattu le voleur. Mais je dois lui donner une sépulture. Je prends ton drap pour l'ensevelir décemment. Donne-moi aussi ton anneau, le malheureux aura ainsi quelque plaisir de cet objet qu'il n'a pu réussir à dérober de son vivant.»

La dame obéit et le malin voleur disparut. Quand le seigneur rentra dans la chambre, il n'en crut pas ses yeux : «C'est donc un magicien que ce brigand! Je l'ai pourtant enterré de mes propres mains.»

Le lendemain, le voleur lui rapporta anneau et drap, riant dans sa barbe.

Le grand maître
de la corporation des voleurs

Le soir venu, le voleur se rendit à la cure, apportant des écrevisses qu'il avait attrapées. Il fixa sur leur carapace des chandelles allumées et les lâcha dans le cimetière. Revêtu d'un froc noir et muni d'un très grand sac, il monta en chaire et se mit à crier : «Bonnes gens, la fin du monde approche! Je suis le portier du Paradis : que ceux qui veulent monter au ciel avant que ne sonne la fin du monde prennent place dans mon sac!»

Le curé et son sacristain l'entendirent, ils regardèrent ce qui se passait dans

le cimetière et virent les chandelles allumées que portaient les écrevisses. Ils se précipitèrent la tête la première dans le sac du rusé fripon. Le voleur

descendit en faisant rebondir son sac sur les marches. Quand ils atteignirent le château, il les jeta dans le pigeonnier et murmura :
«Entendez-vous comme les anges battent des ailes?
— Nous entendons, répliquèrent le curé et son sacristain. Mais, sauf votre respect, cela empeste ici la fiente de pigeons.»
Le voleur en rit aux larmes. Le matin, il montra au seigneur quelles proies il avait attrapées et celui-ci ne put qu'en rire aussi. Quand il ouvrit le sac, les deux pauvres sots secouèrent la tête :
«Doux Jésus, Votre Seigneurie est aussi au ciel!»
Que pouvait faire le seigneur? Il donna au voleur un sac de ducats et lui dit :
«Tu es vraiment le roi de la corporation des voleurs.»

Le voleur remercia, prit congé de ses vieux parents et repartit à l'aventure.

31 JANVIER

La jatte de crème

Il était une fois un petit cochon et un chat qui partirent à l'aventure. Au bout de quelque temps, ils se trouvèrent mourant de faim. Ils firent alors rencontre d'une vieille chèvre.
«Par pitié, donne-nous un peu de lait, supplièrent les deux animaux.
— Quand vous aurez bêché le jardin», bêla la chèvre.
Le petit chochon se mit aussitôt à l'ouvrage mais le chat miaula qu'il lui fallait auparavant se reposer un peu. Il s'étendit au soleil, s'étira, se prélassa et, fort soigneusement, fit toilette. A midi, la chèvre revint, apportant une jatte de crème :
«C'est pour celui qui le plus travaillé dans mon jardin», dit-elle.
Le petit cochon, couvert de boue de la tête aux pieds, se rua vers la nourriture :
«C'est moi, j'ai tout bêché tout seul !»
La chèvre secoua la tête :
«Mais tu es tout sale! Est-ce ainsi que l'on se présente à table?»
Puis elle se tourna vers le chat :
«Et toi, qu'as-tu fait toute la matinée?
— Moi? répondit le chat, mais j'ai fait la toilette pour deux.
— A toi la crème, reprit la chèvre, puisque tu as travaillé pour deux!»

FÉVRIER

Ali Baba et les quarante voleurs

En des temps très anciens, dans une lointaine contrée de l'Orient, vivaient deux frères. Kassim Baba était un riche commerçant. Mais son frère, Ali Baba, n'avait jamais eu de chance. Il arrivait tout juste à nourrir sa famille en ramassant du bois mort. Un jour, dans la forêt, il entendit au loin galoper de nombreux chevaux. Alors se présenta une troupe de voleurs, ils étaient quarante. Leur chef s'arrêta près d'un rocher et cria :
«Sésame, ouvre-toi!»
Le rocher s'ouvrit, les voleurs disparurent dans une caverne. Après un moment, le rocher s'ouvrit de nouveau et les voleurs repartirent. Ali Baba se planta alors devant le rocher et cria:
«Sésame, ouvre-toi!»
Miracle, le rocher s'ouvrit devant lui, laissant apercevoir une caverne pleine d'or et de pierres précieuses.

2 FÉVRIER

Ali Baba et les quarante voleurs

Ali Baba emplit ses poches de tout ce qu'il pouvait porter, puis ordonna au rocher de le laisser sortir et rentra bien vite chez lui. La femme d'Ali Baba, quand son mari lui montra les trésors qu'il avait trouvés, courut chez sa belle-sœur, la femme de Kassim, pour lui emprunter une mesure à blé. Mais celle-ci enduisit de miel le fond de la mesure et une pièce d'or s'y prit. Quand Kassim apprit de sa femme que son pauvre diable de frère mesurait des pièces d'or dans une mesure à blé, il se précipita chez lui. Le brave Ali Baba lui raconta toute l'histoire et Kassim se rendit à la caverne. «Sésame, ouvre-toi!» cria-t-il. Et le rocher s'ouvrit. Le vieil avare resta si longtemps à faire sonner les pièces d'or que les voleurs revinrent et qu'ils tuèrent le malheureux Kassim.

Ali Baba et les quarante voleurs

Son frère ne revenant pas, Ali Baba se rendit à la caverne pour le chercher. Il ne trouva que le cadavre. Il chargea le corps sur son âne, retourna à la ville et organisa les funérailles. Puis Ali Baba s'installa dans la maison de son frère avec sa femme et ses enfants. Cependant, les voleurs étaient retournés à leur caverne et comprirent que quelqu'un d'autre avait surpris leur secret. Le chef alla bavarder au marché et finit par apprendre qu'un certain Ali Baba avait récemment enterré son frère et était devenu riche, on ne savait comment.

Ali Baba et les quarante voleurs

Le chef des voleurs resta en ville jusqu'à ce qu'il eut retrouvé la maison d'Ali Baba. Puis il fit installer à ses hommes quarante jarres sur des mulets. Il emplit la première d'huile d'olive et fit cacher ses voleurs dans les autres. Il convint avec eux qu'à son signal, ils envahiraient la maison d'Ali Baba. Puis costumé en marchand, il se rendit chez Ali Baba à la tête de sa caravane, demandant asile pour la nuit. Ali Baba l'accueillit courtoisement. Pendant la soirée, l'huile vint à manquer pour la lampe et la servante, se rappelant que le marchand avait laissé ses jarres devant la porte, y alla quérir de l'huile. L'entendant approcher, un des voleurs murmura :
«C'est le moment, seigneur?»
La servante, flairant un danger, déguisa sa voix et répondit :
«Non! Attendez encore un peu!»
Elle trouva l'huile, en fit chauffer un plein chaudron et en versa dans chacune des jarres; les voleurs grillèrent. Puis elle appela les gardes qui reconnurent le chef et le pendirent sur-le-champ. C'est ainsi que fut sauvée la vie d'Ali Baba et de sa famille.

Cuisine, marmite!

Il y avait une fois une jeune fille bien pauvre qui rencontra une vieille femme qui l'implora :
«Mon enfant, donne-moi un petit mor-

fenêtre et gagna la place du village. La jeune fille arriva alors et cria bien vite «Cesse, marmite!» Mais il y avait une telle montagne de purée sur la place que les paysans ne pouvaient passer avec leurs charrettes et que les chevaux durent la manger.

6 FÉVRIER

Pâquerette

Il y avait une fois une jeune fille de village qui était fort pauvre mais très diligente. Elle était belle et fraîche comme une fleur des prés et on la nommait Pâquerette. Quand elle se rendait à la ville, elle portait un voile sur le visage.

Le fils du roi la voyant, s'étonna qu'elle se dissimulât sinsi. On lui répondit :

«Elle est très belle, mais aussi modeste que charmante.»

Le prince lui envoya un serviteur qui lui porta un anneau d'or et lui demanda de se trouver le soir auprès du gros chêne. Pâquerette pensa qu'on voulait

ceau de pain. J'ai si faim que c'est à peine si je puis me soutenir!»

La jeune fille partagea avec la vieille sa pauvre nourriture et celle-ci, pour la remercier de sa générosité, lui fit cadeau d'une petite marmite, disant :

«C'est une marmite magique. Tu n'auras qu'à dire ''Cuisine, marmite!'' et elle te fera cuire autant de purée que tu pourras souhaiter. Quand tu en auras assez, tu n'auras qu'à crier ''Cesse, marmite!''»

La jeune fille retourna à sa chaumière et sa mère et elle purent désormais se régaler de la meilleure purée du monde.

Un jour que la jeune fille était sortie, la mère posa la marmite sur le feu et dit: «Cuisine, marmite!» et la purée se mit à bouillonner, elle déborda, se répandit sur le plancher et atteignit bientôt le seuil. Mais la pauvre mère avait oublié la formule pour que la marmite arrêtât sa cuisine. La purée débordait, si bien qu'elle passa par la

lui donner quelque ouvrage au château et alla au rendez-vous. Quand le prince vit son visage à découvert, il fut subjugué par son charme et voulut sans attendre la mener au palais de son père. Mais Pâquerette n'y consentit point :

« Je ne suis qu'une pauvre fille. Laisse-moi quelques jours pour prendre une décision.»

Le prince accepta, bien que de mau-

vaise grâce. Quelques jours après, il lui envoya un de ses serviteurs qui lui porta des souliers d'argent et lui fixa un autre rendez-vous auprès du gros chêne. Mais Pâquerette, une fois encore, refusa. C'est en vain que le prince lui envoya quelque temps après une robe d'or. La jeune fille ne voulut pas même y jeter un regard, tant elle redoutait la colère du roi.

7 FÉVRIER

Pâquerette

Un beau jour, vint aux oreilles du roi que le prince fréquentait une pauvre fille de village. Il en fut très fâché car lui-même avait demandé pour son fils

la main d'une riche princesse. Il commanda à ses soldats d'aller mettre le feu à la chaumière de Pâquerette : «Ainsi peut-être brûlera-t-elle aussi!» Les soldats obéirent. Pâquerette était assise devant sa table sur laquelle elle avait posé une cage où chantait son oiseau préféré. Quand elle vit les flammes, elle voulut sortir mais la chaumière était encerclée par la troupe. Elle empoigna alors la cage et, depuis la fenêtre, sauta dans le puits. Son cœur se fendait à la pensée du prince et elle regrettait sa modeste mais charmante maisonnette. Elle reprit quand même courage, se vêtit d'habits d'homme et s'en fut au palais demander du service. Le roi lui demanda son nom.

«Je me nomme Infortuné, répondit Pâquerette.

— Voilà un nom bien triste, reprit le roi, mais je te prendrai quand même à mon service si tu peux me chanter quelque belle chanson.»

Et Pâquerette se mit à chanter une jolie complainte. Le roi garda le jeune homme à son service et le traita comme un fils.

Pâquerette

Quand le prince avait appris que Pâquerette était morte dans l'incendie de sa chaumière, il en avait été si malheureux qu'il en avait failli mourir de douleur. Le roi résolut alors de ne plus tarder à célébrer ses noces avec la princesse étrangère. Il réunit toute sa cour et ils s'en furent vers le royaume voisin en un magnifique cortège.

A l'arrière chevauchait la malheureuse Pâquerette, toujours sous son déguisement. Elle était fort affligée et, pour se consoler, elle se mit à chanter.

Le prince demanda à son père qui chantait si tristement et le roi répondit :

«C'est Infortuné, mon serviteur.»

Le prince cueillit des pâquerettes au bord du chemin et alla les offrir au mélancolique jeune homme. La jeune fille enfila alors à son doigt l'anneau d'or et le prince reconnut sa bien-aimée. Il lui sourit tendrement mais sans rien dire. Quand ils furent arrivés au royaume voisin et se furent assis à la table du festin, le souverain dit :

« Jouons aux devinettes.»

Le prince commença.

«Sire le roi, j'ai dans mon palais un coffre d'or mais j'en ai perdu la clé. J'en ai commandé une nouvelle mais, entre-temps, j'ai retrouvé la vraie; dis-moi laquelle dois-je garder, l'ancienne ou la nouvelle?

— L'ancienne, bien sûr! répondit le roi.

— C'est vous qui l'avez dit, Sire le Roi, reprit le prince, menant par la main Pâquerette. Je ne puis épouser votre fille. Voici la clé que j'ai perdue et que j'ai retrouvée.»

Quand tous virent la ravissante jeune fille, ils abandonnèrent tout ressentiment et ordonnèrent pour les deux jeunes gens des noces magnifiques.

Les trois petits lutins de la forêt

Il y avait une fois un veuf qui avait une fille belle comme le jour. Dans le voisinage vivait une jeune veuve qui avait aussi une fille, mais celle-là laide à faire peur. Les deux jeunes filles se connaissaient et se rendaient souvent visite. Un jour, la jeune veuve dit à la fille de son voisin :

«Tu devrais conseiller à ton père de me prendre pour femme. Je te traiterai mieux que ma propre fille.»

La jeune fille fit docilement commission à son père.

Celui-ci prit une vieille botte, la suspendit à une poutre du grenier, y versa un pot d'eau et dit :

«Cette vieille botte est percée comme une passoire. Si l'eau y demeure jusqu'au matin, cela voudra dire que le sort veut que je me remarie.»

Il ne croyait pas lui-même à ce qu'il disait mais l'humidité gonfla le cuir, les trous se bouchèrent et l'eau ne coula pas de la botte. Le veuf dut faire ce qu'il avait promis. Il se remaria. Le lendemain des noces, la belle-mère se conduisit avec sa belle-fille comme un ange du ciel, mais après quelque temps, elle chanta sur un autre ton. Elle cajolait sa propre fille et l'autre, elle l'eût volontiers noyée dans la mare. La pauvre petite ne faisait que pleurer.

10 FÉVRIER

Les trois petits lutins
de la forêt

Il faisait un froid à ne pas mettre un loup dehors. Mais la mauvaise belle-mère ordonna à sa belle-fille :

«Va dans la forêt et rapporte-moi un

plein panier de fraises sauvages ou bien ne reviens plus à la maison!»

Elle donna à la malheureuse un croûton de pain dur et la jeta dehors. Elle espérait que la jeune fille gèlerait en route. La pauvre petite partit à travers la prairie couverte de neige. Elle se retrouva bientôt dans une profonde forêt où elle aperçut une chaumière. Trois lutins y habitaient. La jeune fille les implora de la laisser se chauffer à leur feu. Les lutins le lui permirent. Elle se glissa derrière le poêle et tira de sa poche son croûton de pain.

«Donne-nous en un petit morceau», lui demandèrent les lutins.

La jeune fille partagea bien volontiers puis elle raconta à ses hôtes pourquoi elle errait dans les bois par un si mauvais temps. Alors les lutins la prièrent de balayer la neige devant la chaumière. Quand elle fut sortie, ils se concertèrent pour décider comment la récompenser de sa bonté.

Le premier dit:

«Mon don sera qu'elle deviendra chaque jour plus belle que la veille.»

Le second dit :

«Mon don sera que des pièces d'or tomberont de ses lèvres à chaque mot qu'elle prononcera.»

Et le troisième dit :

mécontents. Le premier dit :
«Mon don sera qu'elle deviendra tous les jours plus laide que la veille!»
Le second dit :
«Mon don sera que chaque fois qu'elle prononcera un mot, un crapaud tombera de ses lèvres!»
Et le troisième dit :
«Mon don sera qu'elle mourra d'une mort misérable!»
Quand la méchante fille rentra chez elle, au premier mot qu'elle prononça, un crapaud s'échappa de sa bouche.

12 FÉVRIER

Les trois petits lutins de la forêt

La jeune fille aux pièces d'or coulait des jours durs. Sa belle-mère l'envoya

«Mon don sera qu'elle épousera le roi.»
Cependant, la jeune fille balayait la neige. Et elle y trouva tout un tas de fraises mûres à point. Elle remercia les bons lutins et s'en retourna chez elle.

11 FÉVRIER

Les trois petits lutins de la forêt

La jeune fille arriva chez elle avec son panier de fraises et dès qu'elle ouvrit la bouche pour dire bonjour, il en tomba des pièces d'or. Et elle devenait chaque jour plus belle. Un jour, sa vilaine sœur décida d'aller elle aussi dans la forêt chercher des fraises. Elle se munit d'un sac de gâteaux et alla tout droit à la chaumière des trois lutins. Elle entra sans un mot, s'assit et se mit à manger. Quand elle eut fini, les lutins la prièrent d'aller balayer la neige, mais elle refusa et s'en retourna chez elle. Les lutins étaient très

tremper le chanvre dans l'étang gelé. Vint à passer le roi. Il la salua, la jeune fille lui répondit et les pièces d'or tombèrent à flots de sa bouche. Le roi emmena la jeune fille au palais où il en fit sa femme. Une année ne s'était pas écoulée qu'il leur naquit un fils. La belle-mère, avec sa fille, rendit alors visite à la jeune reine. Le roi laissa sa jeune épouse seule avec les méchantes femmes. Alors elles la saisirent et la jetèrent par la fenêtre dans l'étang. Quand le roi revint, la mère lui dit que sa femme s'était sentie malade. Mais le soir une cane entra dans les cuisines royales et demanda :
«Où est mon enfant?»
Le cuisinier reconnut la jeune reine à sa voix et courut trouver le roi pour lui conter l'événement. La cane pria le roi de faire tourner une épée au-dessus de sa tête et, dès qu'il l'eut fait, il vit apparaître devant lui sa chère femme. Et le roi fit jeter la mauvaise belle-mère et sa vilaine fille dans l'étang où elles se noyèrent.

13 FÉVRIER

Le vilain petit canard

Mère cane couvait ses œufs et atten-

dait que ses petits éclosent. Elle toqua sur les coquilles, entendit un «pip, pip, pip» et les canetons sortirent leur tête. Mais un des œufs ne voulait pas se rompre. La voisine dit à mère cane :
«Ce doit être un œuf de dinde.»
Mais la cane ne l'écouta pas et décida d'attendre que l'œuf éclose. De la coquille enfin cassée sortit un petit canard si vilain que la mère cane en fut épouvantée.
«Ce doit être vraiment un dindonneau, pensa-t-elle, je vais bien voir.»
Elle emmena toute sa couvée vers la mare et se jeta à l'eau. Les petits la suivirent un à un et le vilain petit aussi. L'oie qui assistait à la chose lui dit :

«Ce n'était pas un œuf de dinde. C'est vraiment un de tes enfants.»
Mère cane présenta sa petite famille à toute sa parentèle et, finalement, à la reine des canards.

14 FÉVRIER

Le vilain petit canard

Quand la reine eut regardé tout son soûl les canetons, elle dit :
«Tu as de jolis enfants, il faut le dire, sauf le dernier. De ma vie, je n'ai vu pareil laideron.»
Ce qu'entendant, les autres canards se mirent à bousculer le pauvre caneton. Les oies et les poules s'en mêlèrent et aussi le vieux dindon.

34

dans le marais, des coups de feu éclatèrent et les deux malheureux oiseaux tombèrent dans l'eau. Épouvanté, le petit canard se cacha dans les roseaux.

Le soir, il arriva auprès d'une chaumière où vivait une bonne vieille avec son chat et sa poule. Le chat savait ronronner et hérisser le poil. La poule pondait de beaux œufs. Ces deux animaux pensaient que nul ne les surpassait. La vieille femme garda le petit canard dans sa maison mais auprès de lui, le chat et la poule paraissaient très beaux et toujours criaient après le pauvre petit et, finalement, l'expulsèrent de la chaumière.

Le vilain petit canard

Le petit canard infortuné s'en alla,

Ses petits frères se moquaient de lui et sa pauvre mère pleurait de désespoir. Bientôt, le malheureux petit canard s'enfuit en pleurant. Il vola bien loin et se posa dans un marécage où se trouvaient des canards sauvages: «Que tu es vilain! dirent les canards. Mais cela ne nous fait rien à condition que tu ne prennes pas femme dans notre tribu.»

A ce moment, passèrent dans le ciel deux oies sauvages :

«Les canards sauvages ont raison : tu es vraiment vilain! Mais cela ne nous empêcherait pas de t'aimer. Veux-tu venir avec nous?»

Mais le petit canard se contenta de baisser tristement la tête.

Le vilain petit canard

Les oies sauvages ne volèrent pas loin. Des chasseurs étaient cachés

que. Elle brûlait nuit et jour et à qui regardait cette flamme, elle contait cette histoire :

Il y avait une fois un petit prince qui s'appelait Rini. Il habitait dans un palais d'or. Sous sa fenêtre poussaient des fleurs d'argent dont prenait soin Lini, la petite jardinière. Ces deux-là ne cessaient de se quereller : pour savoir qui était le plus grand, ou qui était le plus petit, qui avait le plus de taches de rousseur, etc, etc . . .
A force de se disputer, ils se prirent à s'aimer. Un jour, le jeune prince s'en fut à la chasse. Tout à coup, venues on ne sait d'où, surgirent deux géantes. La première prit le prince dans sa main, comme un papillon, la deuxième le chargea sur son épaule et les voilà loin! Le roi fit publier qu'il donnerait son royaume à qui lui ramènerait son fils. Mais personne ne re-

personne ne voulait de lui. Mais vint le printemps et le petit canard s'éleva dans les cieux avec des forces toutes nouvelles. Un jour, il se posa sur un étang, au milieu d'un grand jardin. Il y vit deux magnifiques oiseaux blancs aux longs cols. C'étaient des cygnes, mais le petit canard ne le savait pas encore. Sans crainte, il s'avança vers la gracieuse troupe. Pourtant il redoutait que ces beaux oiseaux ne le rejetassent aussi, mais les cygnes se pressèrent joyeusement autour de lui et lui firent bon accueil. Tout à coup, le petit canard vit son image se refléter dans les eaux du lac. Et ce n'était pas l'image d'un vilain petit canard, mais celle d'un beau cygne blanc.

17 FÉVRIER

Ce que conte la flamme d'une chandelle

Il était une fois une chandelle magi-

36

trouva le prince. Un jour, Lini se présenta :
«Moi, je retrouverai le prince! Parce que je n'ai plus personne avec qui me quereller.»

Ce que conte la flamme d'une chandelle

Lini allait droit devant elle et arriva dans une grotte où pendaient des stalactites d'or. Au milieu, se dressait un lit où étaient peints deux cygnes blancs, surmontant une inscription magique. Le prince Rini y était couché, dormant comme un bienheureux. Lini lui chatouilla le bout du nez mais le prince ne frémit même pas. A ce moment se firent entendre des pas pesants et deux affreuses géantes firent leur entrée. Lini eut tout juste le temps de se cacher derrière une stalactite. Les deux géantes se penchèrent au-dessus du lit et dirent :
«Chantez, cygnes blancs, et réveillez notre beau prince de son sommeil!»
Les deux cygnes chantèrent, le prince s'éveilla et les deux géantes lui crièrent :
«Prends-tu l'une de nous pour femme?»
Le prince leur tira la langue en disant :
«Quand les poules auront des dents!»
Les géantes, furieuses, hurlèrent :
«Chantez, cygnes blancs, et plongez le prince dans un profond sommeil!»
Les cygnes chantèrent et le prince se rendormit.

Ce que conte la flamme d'une chandelle

Dès que les géantes eurent tourné les talons, Lini ordonna aux cygnes de réveiller le prince. Quand il ouvrit les yeux, les deux enfants s'embrassèrent. Puis Lini expliqua au prince ce qu'il devait faire. Et lorsque les géantes demandèrent ensuite au prince s'il avait pris une décision, il leur répondit :
«Je veux bien épouser l'une de vous si vous me dites où vous allez quand vous n'êtes pas dans la grotte et ce que dit l'inscription sur le lit.»
Les deux géantes, fort satisfaites, di-

rent au prince qu'elles allaient jouer avec un œuf d'or et ajoutèrent :
«Si quelqu'un venait à casser cet œuf d'or, nous serions changées en deux noires corneilles.»
Puis elles lui lurent l'inscription :
«Petit lit magique, emmène-moi sans tarder là où je souhaite aller!»
Et elles s'en allèrent au bois s'amuser avec leur œuf d'or.

20 FÉVRIER

Ce que conte la flamme d'une chandelle

Lini, la petite jardinière, éveilla le

prince, se mit avec lui sur le lit magique et récita :
«Petit lit magique, emmène-nous sans tarder dans le bois!»
Le lit s'envola jusqu'au bois noir. Rini et Lini se cachèrent dans le feuillage d'un arbre. Le prince cassa une branche et s'en fit un javelot acéré. Bientôt apparurent les géantes et elles se mirent à jouer avec leur œuf d'or. Le prince lança son javelot : crac! l'œuf éclata en mille morceaux et les géantes se changèrent en deux noires corneilles. Rini et Lini ordonnèrent au lit de les ramener dans la grotte. Là, ils remplirent les poches d'or et de pierres précieuses puis, sur leur lit magique, retournèrent au château. Le roi maria le jeune prince et la petite jardinière et leur donna son royaume.

21 FÉVRIER

Le garçon qui ne parlait pas

Il était une fois des villageois qui eurent un fils. Le petit garçon poussa comme un charme, mais jamais il ne fut capable de dire un seul mot. Ils le menèrent soigner, consultèrent Monsieur le Curé et le maître d'école, mais l'enfant resta muet comme une carpe. Quand il fut en âge de se marier, les parents décidèrent de lui trouver une fiancée. Ils choisirent une jeune fille modeste et qui parlait peu :
«Au moins, il y a peu de chance qu'ils se querellent», pensèrent-ils.
Ce furent des noces magnifiques. La fiancée confectionna de grandes fournées de gâteaux. Puis, comme c'est la coutume dans ces régions, elle appor-

Les sept Souabes

Il y avait une fois sept Souabes, tous plus poltrons les uns que les autres, mais tous se vantant sans cesse. Un jour, l'un d'eux, qui était le maire du village, dit :

«Frères Souabes, allons montrer de par le monde quelles actions héroïques nous sommes capables d'accomplir!»

Les autres acceptèrent. Ils se firent confectionner une pique si longue qu'ils devaient la porter à tous les sept. En tête, marchait le maire, puis le Souabe le plus grand, puis un plus

ta une marmite de simple bouillie pour que, en ce jour de liesse, on n'oubliât point la nourriture de tous les jours. Elle posa le plat devant son fiancé muet. Mais, à peine l'eut-il goûté, qu'il s'écria, furieux :

«Ce n'est pas assez sucré!

— Mais, tu sais parler! Pourquoi jusqu'à ce jour, n'as-tu jamais prononcé un mot?

— Qu'aurais-je eu à dire? La bouillie était toujours assez sucrée!»

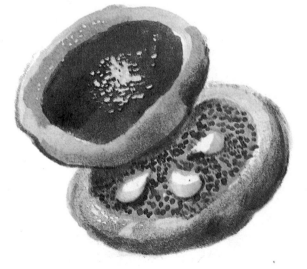

petit, puis encore un plus petit, jusqu'au septième, qui était le plus petit de tous. Ils arrivèrent dans une prairie et firent lever de l'herbe un frelon qui se mit à bourdonner furieusement.

«Halte! ordonna le maire épouvanté. Écoutez, l'ennemi sonne la charge!»

A ce moment, le vent chassa vers eux la fumée du village.

«Sur mon âme, s'écria le second hé-

ros, je sens la fumée de la poudre!»
«Sus aux ennemis!» cria le dernier, le plus petit, placé derrière les autres.

23 FÉVRIER

Les sept Souabes

Le malheureux maire tomba sur un râteau qu'on avait laissé là et dont les dents lui entamèrent le front. Il hurla : «A l'aide, je me rends!»
Et les autres de crier :
«Nous nous rendons aussi! Grâce!»
Mais, de l'ennemi, plus de trace, et nos Souabes de se réjouir :
«Quelle grande victoire nous avons remportée!»
Et ils continuèrent leur route. Dans un

buisson d'églantiers, dormait un lièvre.
«Halte! cria le maire. Qu'est-ce qui remue dans les buissons!»
Le lièvre avait les oreilles dressées et les yeux étincelants. Il sembla aux Souabes que c'était une bête féroce.
«C'est un dragon! s'exclama le premier de nos héros.
— Un dragon n'a pas de poils! cria le deuxième.
— Bonnes âmes, c'est le diable ou au moins sa grand-mère!
— Sus! cria le plus petit. Réduisons-le en bouillie!
— Passe devant! lui crièrent les autres.
— Pas du tout, c'est au maire d'attaquer le premier!»
Le malheureux magistrat dut bien s'exécuter. Il s'approcha du lièvre, suivi des autres héros. Il exhalait un tremblant gémissement: «Hou, hou,

champ de lin, ils se trouvèrent sur la berge d'une profonde rivière et ils virent un pêcheur de l'autre côté : «Comment faire pour traverser? lui demandèrent-ils.

— Il faut un bateau! répondit le pêcheur.

— Bah! décidèrent les Souabes, si nous avons traversé la mer, nous traverserons bien la rivière!»

Et ils s'y noyèrent tous les sept, l'un derrière l'autre.

Le petit tailleur plus fort que tous

Il était une fois un petit tailleur qui en avait assez de tirer l'aiguille. Il prit au fond d'un vieux coffre le sabre de son grand-père, se fit un habit de général

hou». Ce bruit insolite effraya le lièvre qui s'enfuit à toutes pattes.

Quel triomphe pour les intrépides Souabes!

Les sept Souabes

Nos Souabes continuèrent leur chemin. Ils arrivèrent devant un champ de lin.

«Qu'est-ce que ça peut bien être? demanda le maire. C'est bleu, c'est grand, ça n'a pas de fin.

— C'est la mer», s'écrièrent les autres Souabes.

Le maire s'avança prudemment mais ça ne lui venait pas plus haut que le genou :

«Quels fieffés imbéciles ceux qui construisent des bateaux pour traverser les mers. Nous, nous marchons dedans tout tranquillement!»

Quand ils eurent ainsi traversé tout le

et s'en alla courir l'aventure, pensant : «Qui vivra verra!»

Il marcha longtemps, puis, fatigué, s'assit à la lisière d'un champ et enleva ses bottes. Mais il y avait force moustiques qui se jetèrent sur lui. Le tailleur, en colère, en occit d'un geste au moins vingt-quatre. Fier de sa glorieuse victoire, notre héros se dit : «Il faut que cela se sache!»

Il prit sa craie de tailleur et inscrivit sur son grand chapeau :

«J'en tue vingt-quatre d'un coup!»

Il reprit sa route et arriva dans une ville étrangère. Les gens l'y regardèrent de travers, pensant :

«Nous n'avons rien à faire de ce fier-à-bras!»

Quand le tailleur s'enquit auprès d'eux de son chemin, ils l'envoyèrent vers les bois noirs où se tenait un sanglier farouche, espérant que la bête furieuse déchirerait cet étranger indésirable. Le tailleur était à peine arrivé que le vieux solitaire se jeta sur lui et voilà notre héros qui prend ses jambes à son cou et s'enfuit.

26 FÉVRIER

Le petit tailleur plus fort que tous

Le sanglier s'était lancé à la poursuite du tailleur et allait l'atteindre quand se présenta une petite chapelle. Le tailleur réussit tout juste à se cacher derrière la porte ouverte. La bête sanguinaire se précipita à l'intérieur, le tailleur alors sauta dehors et tira la porte derrière lui. Il retourna à la ville contant à qui voulait l'entendre qu'il avait attrapé le terrible sanglier et l'avait enfermé pour qu'il ne se sauvât point. Les gens étaient pleins d'admiration pour cette action d'éclat. La renommée de ce tailleur si courageux vint aux oreilles du roi. Celui-ci fit venir notre compère et lui dit :

«Écoute, brave entre les braves, il y a dans mon royaume un rhinocéros abominable qui nous cause beaucoup de désagréments. Si tu en viens à bout, je te donnerai ma fille en mariage.

—C'est à voir», répondit le tailleur. Il pria qu'on lui donnât un peu d'or, bien décidé à ne jamais revenir. Mais à peine avait-il quitté la résidence royale qu'il se trouva nez à nez avec le monstre. Il eut tout juste le temps de grimper dans un gros chêne. Le rhinocéros, furieux, se précipita contre l'arbre avec une telle violence qu'il y enfonça sa corne et ne put l'en retirer. Le tailleur défit sa ceinture, ligota le bête et s'en fut vanter au roi son exploit.

27 FÉVRIER

Le petit tailleur plus fort que tous

Le tailleur se pavanait devant le roi. Et il réclama la princesse qu'on lui avait promise. Mais le roi était bien ennuyé. Aussi demanda-t-il au tailleur de le débarrasser d'abord de trois cruels géants qui ravageaient le royaume. Il pensait l'envoyer à une mort certaine. Cela ne disait rien du tout au tailleur. Il prit dans son sac quelques fromages et, dès qu'il eut passé la porte, se hâta pour se mettre en sûreté. Il n'avait pas la moindre intention de chercher les géants. Il avait fait un bon bout de chemin quand il entendit du bruit dans les buissons. C'était un petit oiseau qui s'était pris dans un entrelacs de branches et ne pouvait se dégager. Le tailleur le mit dans son sac : «Peut-être bien que j'aurai la chance de le vendre à quelque oiseleur», se dit-il.

Il n'avait pas fait cent pas, qu'il entendit quelque chose comme un coup de tonnerre. Un coup de tonnerre! C'était un géant qui barrait la route, écrasant les arbres sous ses pieds :
«Petit homme, cria la brute, viens te mesurer avec moi! Si tu perds, je t'avalerai comme une framboise!»
Que faire? Le tailleur, en son âme, fit ses adieux à la vie.

28 FÉVRIER

Le petit tailleur plus fort que tous

Le géant proposa :
«Voyons d'abord qui lancera une pierre le plus loin!»
Il ramassa un rocher, se détendit et l'envoya vers le ciel, si haut qu'il ne re-

tomba qu'un quart d'heure après. Le tailleur prit l'oiseau qu'il avait enfermé dans son sac et la lança dans les airs en disant :
«Que le diable m'emporte si cette pierre redescend jamais!»
Bien sûr, elle ne redescendit pas.
«Bien joué, s'écria le géant, mais continuons!»
Il prit une pierre et l'écrasa dans sa main si fort qu'il s'en échappa de l'eau. Le tailleur sourit :
«Voyons donc, frère!»
Il prit un de ses fromages, le serra pour en faire écouler le petit lait. Le géant commençait à être moins sûr de la victoire mais proposa encore :
«Voyons qui sautera le plus haut!»
Il prit son élan et, d'un bond, se retrouva au sommet du rocher où s'élevait son château. Le malin tailleur s'accrocha à la cime d'un des sapins que le géant avait couchés et l'arbre en se redressant le projeta aux créneaux du bâtiment. Le géant hocha la tête :
«Je vois que tu es doué d'une force sans pareille. Viens au château que je te présente à mes frères.»
Les géants festoyèrent avec leur invité, puis lui installèrent un lit près de la cheminée. Mais le tailleur se coucha derrière le poêle. Un moment plus tard, les géants demandèrent au tail-

leur s'il dormait et, n'obtenant pas de réponse, jetèrent sur son lit la meule du moulin.
Le tailleur s'écria :
«Je n'aime pas ce genre d'édredon!»
Les géants furent si épouvantés qu'ils sautèrent par la fenêtre et tombèrent tout droit dans le fossé où ils se rompirent le cou.
Le tailleur, tout fier, retourna au palais. Le roi eut si peur qu'il lui donna son royaume.

MARS

1ᵉʳ MARS

Le potier malin

Il y avait une fois un sultan très puissant qui régnait sur toute la terre. Mais ce qu'il avait de plus précieux c'était sa fille, une princesse d'une rare beauté. Un jour, il fit publier aux quatre coins du monde :
«J'accorderai la main de ma fille à celui qui pourra m'offrir quelque chose que je n'ai encore jamais reçu.»
Aussitôt affluèrent vers le palais d'innombrables prétendants, amenant des caravanes de chameaux chargés d'or, de perles, de diamants, mais le sultan les recevait tous avec le même sourire moqueur :
«Vos présents ne sont qu'une goutte d'eau dans la mer de mes richesses.»
Un beau jour, un pauvre potier se présenta devant le sultan, s'inclina et dit :
«Je t'apporte ce que nul, jusqu'à présent, ne t'a jamais donné!»
Il lui administra un tel soufflet que cela retentit aux quatre coins du palais. Le sultan rit un peu jaune et dit :
«Tu as rempli ma condition, potier. C'est toi qui gouverneras mon royaume après ma mort!»

2 MARS

Le vieux chien Sultan

Il était une fois un fermier qui avait un chien, nommé Sultan, qui l'avait servi fidèlement durant de nombreuses années. Mais Sultan était devenu vieux et son maître résolut de le tuer. Le vieux Sultan courut au bois demander conseil à son ami loup qui lui dit :
«Rassure-toi, je te tirerai de ce mau-

vais pas. La prochaine fois que ton maître ira travailler aux champs avec sa femme et qu'ils déposeront leur petit enfant au creux d'un buisson comme ils font d'ordinaire, je me saisirai du bébé et l'emporterai dans les bois. Tu me poursuivras, je te remettrai l'enfant. Le fermier pensera que tu as sauvé son fils et il t'en sera si reconnaissant, qu'il te laissera en vie.»
Ainsi firent-ils et, désormais, le chien Sultan fut chez son maître comme au paradis. Un beau jour, son ami loup le vint trouver :
«Il est temps que tu me récompenses. Cette nuit, je viendrai chez vous m'emparer d'une brebis. Tu ne réveilleras pas ton maître.»

Mais Sultan protesta :
«J'ai toujours servi fidèlement, je ne peux te laisser prendre une brebis!»
Et quand le loup s'introduisit dans la bergerie, Sultan réveilla son maître et le loup dut s'enfuir, criant au chien :
«Je te lance un défi! Viens demain dans les bois avec un second et nous viderons notre querelle!»

3 MARS

Le vieux chien Sultan

Le lendemain, le loup demanda au sanglier d'être son second. Bientôt, le vieux Sultan s'avança, accompagné d'un simple chat. La malheureuse bête n'avait que trois pattes et boitait fort bas, mais tenait la queue fièrement dressée. Le loup le vit venir de loin et il prit sa queue dressée pour un redoutable sabre. Quand il conta la chose au sanglier, celui-ci se cacha derrière les buissons. Sur ce, Sultan et son chat arrivèrent au lieu convenu qu'ils trouvèrent désert. Ils virent seulement quelque chose qui bougeait dans les feuilles : c'étaient les oreilles du sanglier qui frémissaient de terreur. Le chat crut que c'était une souris, fit un bond et planta ses dents dedans. Le sanglier prit la fuite, hurlant de douleur.
«Ce n'est pas moi! C'est lui, il se cache dans l'arbre!»
Le chien et le chat levèrent le nez et virent le loup qui, honteux et effrayé, se dissimulait dans les feuilles.
«Te voilà, grand héros! Allons, descends, il vaut mieux se réconcilier!»

Damoiselle Chardonnette

Il était une fois une toute jeune fille que l'on appelait Damoiselle. Elle était servante chez un riche paysan. Tout le monde était brutal avec elle, et elle n'avait personne pour la consoler. Un soir, elle se réfugia au jardin et là, elle vit que, du calice de toutes les fleurs, sortaient de gracieuses petites fées qui se mettaient à danser. La plus blonde, la fée Ensoleillée, l'appela :
«Nous sommes les âmes des fleurs! Viens jouer avec nous!»
Damoiselle s'amusa avec les fées jusqu'aux premiers feux de l'aurore. Mais le matin, elle était fatiguée et cela parut bizarre à son maître qui,

un soir se cacha pour la surveiller. Il vit Damoiselle qui passait par la fenêtre pour descendre au jardin : il tendit une main brutale pour la saisir, mais Damoiselle, dans son angoisse, s'écria : «Ensoleillée, ma chère Ensoleillée, viens au secours de la malheureuse que je suis!»

Et la bonne fée Ensoleillée la changea en un chardon piquant qui égratigna jusqu'au sang la main du méchant fermier. Désormais, quand fleurissaient les fleurs de chardon, Damoiselle sortait sous les cieux étoilés de la corolle et, vêtue d'une jupe bleue, elle dansait avec les autres fées des fleurs.

5 MARS

Comment on guérit une brebis malade

Il y avait une fois une brebis bien malade. On l'emporta à l'hôpital. Le docteur, un vieux bélier, dit à la brebis : «Tire la langue et dis : a . . . a . . . a!»
La brebis tira la langue et dit : «Bê . . .»

«Je vois, dit le docteur, elle n'entend pas!»
Il se pencha sur sa malade et dit : «Petite, tire la langue et dis : bê, ê, ê!»
Et la brebis dit : «Bê, ê, ê.»
«Vous voyez, elle va déjà mieux.»
Et il lui murmura encore plus bas : «Mon enfant, demain, il ne faudra pas aller à l'école des moutons.»
Et la brebis se mit à sauter de joie. Le docteur se prit à sourire, disant : «Quand vous avez une brebis malade, ne l'envoyez pas à l'école!»

6 MARS

La bergère et le ramoneur

Dans le salon d'une vieille demeure, se dressait une antique armoire sculptée. Les portes en étaient décorées et au milieu figurait un personnage affreusement laid, avec des cornes au front, des pattes de bouc et une longue barbe. Les enfants l'appelaient : le Chef aux Pieds Fourchus, Lieutenant du Commandant Général. Ce personnage résolut de prendre pour

épouse une bergère en porcelaine. Elle était placée sur une console, à côté d'un petit ramoneur en porcelaine. Derrière eux, se tenait un gros magot chinois qui savait hocher la tête. Le personnage aux pieds fourchus lui demanda la main de la bergère. Le magot dit à la fillette :

«Marie-toi au Commandant aux Pieds Fourchus, tu auras une pleine armoire d'argent et tu seras Madame la Haute Commandante Générale!»

Mais la fillette s'était fiancée au petit ramoneur en porcelaine. Tous deux s'aimaient d'amour tendre et le ramoneur dit :

«Fuyons ensemble de par le vaste monde!»

7 MARS

La bergère et le ramoneur

Au moment où la bergère et le ramoneur descendaient de leur console, le Commandant aux Pieds Fourchus se réveilla et cria au magot chinois :

«Attention! Attention! Ils s'enfuient!»

Le petit ramoneur tira la bergère par la main, ils entrèrent dans le poêle, du poêle dans le four et du four dans la cheminée. La petite bergère fut prise

d'angoisse et supplia :

«Retournons chez nous!»

Quand ils se retrouvèrent dans la chambre, ils virent le vieux magot chinois qui gisait en morceaux sur le plancher. Il était tombé de la console et sa tête avait roulé dans un coin. La bergère en fut bien affligée mais le petit ramoneur la consola :

«N'aie pas peur! Les gens vont le réparer et lui remettront la tête.»

Et c'est bien ce qui fut fait. Mais désormais, le magot ne fut plus capable de remuer la tête. Aussi, quand le Commandant aux Pieds Fourchus revint lui demander la main de la bergère il ne répondit pas.

C'est ainsi que le petit ramoneur et la bergère purent rester ensemble.

8 MARS

Le Baron tsigane

Des Tsiganes avaient un vieil ours qui

— Est-ce vous qui me paierez, puissant Seigneur?»

Le prétendu baron, le nez dans le tonneau de chourcroute, répondit : «Ba, ba, ba!» et l'aubergiste apporta plats et flacons auxquels les Tsiganes firent honneur avant de s'éclipser.

L'aubergiste, alors, réclama son dû à l'ours et, n'obtenant pas de réponse, lui administra un bon soufflet. L'animal, furieux, jeta alors le malheureux sur un tas de fumier.

9 MARS

Les plus intelligents des oiseaux

savait dire en allemand : «Ba, ba, ba». Ils l'attifèrent en seigneur et s'en furent avec lui à l'auberge.

«Holà, l'hôte! Voici le baron tsigane qui va rendre visite à sa fiancée, en Hongrie!

— Et qui me paiera?

— Son Excellence le Baron, bien sûr!

Dans une ville sur le Rhin, il y eut une fois un jeune garnement qui ne voulait rien apprendre et qui était fort sale. Il avait toujours les cheveux si embroussaillés qu'un moineau, passant par là, y fit son nid et s'y installa avec toute sa famille. Et ainsi les moineaux allèrent à l'école avec le jeune garçon. Un jour l'instituteur appela

Où qu'il aille, un être humain emmène toujours son ombre avec lui. Il y a très longtemps, les étoiles accompagnaient les Indiens à la chasse. Elles avaient l'apparence de charmantes jeunes filles mais, comme elles sont transparentes, elles n'avaient pas d'ombre comme leurs compagnes. L'aînée d'entre elles supplia le dieu Soleil de leur donner une ombre. Le soleil ne lui répondit pas, alors l'étoile dit :

«Je m'en vais, mes sœurs, demander à la déesse Lune.»

l'élève au tableau et demanda :
«Un et un?»
La jeune vaurien tendit l'oreille dans l'espoir que quelqu'un allait lui souffler et il entendit une petite voix qui pépiait :
«Cui, cui, cui.»
Ce qu'il répondit au maître.
Celui-ci prit sa mine la plus sévère et reprit :
«Et combien de temps a duré la guerre de Trente Ans? Combien pèse un kilo de plumes? Quelle distance y a-t-il d'ici à là-bas et de là-bas à ici?»
Et le jeune garçon de répondre à chaque fois ce que les moineaux lui soufflaient :
«Cui, cui, cui.»
Depuis ce temps, les oiseaux de la ville sont les plus intelligents du monde parce qu'ils vont à l'école et ce sont toujours eux qui soufflent.

10 MARS

Conte indien

Elle vogua sur le grand lac jusqu'à l'endroit où il rejoint le ciel. Là, elle quitta son esquif et dit à la lune : «Donne-nous une ombre pour que nous ayons à qui parler.
— J'y consens, répondit la lune. Mais désormais, vous ne chasserez que dans le ciel, à la lumière de mes rayons. Appelle tes sœurs.»
L'étoile regagna la terre et, regardant dans les profondeurs du lac, y vit sa scintillante image. Elle s'exclama : «Qu'est-ce donc?
— Ton ombre, répondit la lune. Tu es transparente et étincelante, ton ombre ne peut être que transparente et étincelante.»

11 MARS

Aïe et Ouille

Il y avait une fois un vieux Chinois qui attrapa un oiseau bizarre. Chaque fois qu'il ouvrait le bec, il en tombait des

pièces d'or. Mais, plus le vieillard devenait riche plus il devenait avare. Quand arriva le temps de payer ses serviteurs, il les envoya au marché lui acheter Aïe et Ouille, leur disant : «Et si vous ne me rapportez pas ce que je vous ai commandé, en guise de gages, vous recevrez cent coups de bâton!»
Personne n'a bien envie de cette sorte de paiement. Mais un jour le vieux engagea un jeune Chinois très malin.
Quand fut venu le jour de lui payer ses gages, son maître l'envoya comme les autres au marché.
«Et si je te rapporte Aïe et Ouille, me donneras-tu ton oiseau magique en récompense?» demanda le jeune homme.
Le vieillard eut un mauvais sourire et accepta. Le domestique cueillit deux courges qu'il remplit l'une de guêpes et l'autre d'abeilles. Puis il s'en retourna chez son maître à qui il déclara :

«Je te rapporte ce que tu m'as commandé. Introduis le doigt dans la courge et tu verras.

— Aïe! ! Aïe! cria le vieillard.

— Tu vois, lui dit le jeune serviteur malin, je t'ai rapporté Aïe comme tu l'avais commandé. Mets ton doigt dans la deuxième courge, tu y trouveras Ouille.»

Mais le vieillard n'en voulut rien faire. Bon gré, mal gré, il dut donner son oiseau magique au jeune Chinois.

12 MARS

Aladin et la lampe merveilleuse

Il y avait une fois un puissant magicien qui possédait un anneau magique. Quand il le tournait trois fois, apparaissait un génie qui mettait un genou en terre et disait :

«Je suis l'esclave de l'anneau. Ordonne, Seigneur, je t'obéirai.»

Un jour le magicien demanda au génie quel est le plus puissant magicien du monde. Le génie répondit :

«Très loin, à l'est, il y a une caverne

souterraine. Dans cette caverne, brille une petite lampe tout ordinaire. Si quelqu'un la frotte avec sa main, apparaît mon frère, le génie de la lampe, qui est mille fois plus puissant que moi. Seul peut entrer dans la caverne un jeune garçon nommé Aladin, le fils d'une pauvre veuve. Mais, si tu veux qu'il en ressorte vivant, tu dois lui passer au doigt ton anneau magique.»

Le magicien ordonna au génie de le mener sur-le-champ dans ces contrées orientales. Là, il prit les habits d'un riche marchand, se présenta chez la mère d'Aladin et dit :

«Je suis le frère de ton époux défunt. Me voilà de retour dans ma ville natale afin de prendre ton fils avec moi pour faire de lui un homme riche.»

La pauvre veuve accepta et Aladin partit avec son prétendu oncle.

13 MARS

Aladin et la lampe merveilleuse

Le magicien, accompagné d'Aladin, erra longtemps. Enfin, il s'arrêta et prononça une formule mystérieuse. Une caverne s'ouvrit devant eux :

«Va, dit le magicien à Aladin, et rapporte-moi la lampe que tu trouveras.!»

Il passa au doigt d'Aladin son anneau et le jeune homme s'enfonça dans les profondeurs de la terre. Les salles de la grotte étaient pleines d'or et de perles mais Aladin se hâta vers le jardin enchanté que gardaient des chiens de pierre. Là, il vit une vieille lampe dont il s'empara. Puis il s'en retourna. Quelques-unes des pierres précieuses qui ornaient les murs s'accrochèrent à son habit. Arrivant à l'en-

trée de la grotte, Aladin demanda :
«Mon oncle, tends-moi la main, je ne
puis sortir sans aide.»
Mais le magicien ordonna à Aladin de
lui tendre auparavant la lampe. A ce
moment, le jeune homme vit une
lueur si méchante dans ses yeux qu'il
n'obéit pas. Le magicien prononça
alors la formule mystérieuse et la
grotte se referma. Le magicien partit
sous la forme d'un nuage de fumée.
Aladin resta enfermé sous la terre.

14 MARS

Aladin et la lampe merveilleuse

Seul dans la caverne souterraine, Aladin frotta de la main la vieille lampe.
Alors apparut un affreux génie qui dit :
«Je suis l'esclave de la lampe. Commande, Seigneur, et j'obéirai!»
Aladin ordonna au génie de le ramener dans la demeure de sa mère.
A peine avait-il prononcé ces mots,
qu'il se retrouva dans sa chambre et
dans les bras de sa chère maman. Désormais tous deux vécurent comme
dans un conte de fées. Le génie
remplissait tous leurs
souhaits. Un jour, Aladin
aperçut à la ville la fille du
sultan et, au premier regard,
il tomba amoureux fou
de la charmante
princesse. Il rentra
chez lui et dit à sa
mère :

«Va au palais du sultan, offre-lui les pierres précieuses que j'ai rapportées et demande-lui pour moi la main de sa fille.»

La pauvre mère fit ce que son fils lui demandait. Quand le sultan vit les trésors qu'elle apportait, il n'en crut pas ses yeux et dit :

«Ton fils doit posséder plus de richesses que moi. Je lui donnerai ma fille s'il construit pour elle avant demain matin un palais tout en or.»

Aladin ordonna au génie de la lampe de remplir le souhait du sultan. Le lendemain matin, surgit de terre un palais magnifique. Et le vieux sultan accorda à Aladin la main de sa fille.

15 MARS

Aladin et la lampe merveilleuse

Mais un jour, le magicien apprit ce qui s'était passé. Il prit l'apparence d'un marchand ambulant et alla crier sous les fenêtres du palais d'Aladin :

«J'échange des lampes neuves contre les vieilles!»

La femme d'Aladin l'entendit et pensa à la vieille lampe de son mari. Elle envoya sa servante l'échanger et le magicien obtint enfin ce qu'il désirait. Il ordonna aussitôt au génie de la lampe

de transporter au fin fond de l'Afrique le palais d'or et la charmante femme d'Aladin. Quand Aladin revint de la chasse, il faillit mourir de douleur, mais, distraitement, il tourna l'anneau qu'il portait au doigt et, aussitôt, parut à ses yeux le génie au blanc turban qui mit un genou en terre et dit : «Commande, Seigneur, et je t'obéirai!»

Aladin, tout heureux, lui ordonna de ramener et son palais d'or et son épouse bien-aimée. Mais le génie déclara tristement :

Comment le berger compta les brebis

Il y avait une fois le royaume des brebis, la souveraine en était une brebis qui portait au cou une clochette d'or. Elle avait des sujets dont elle ne pouvait faire le compte et cela la tourmentait fort. Un jour, un jeune berger vint à passer dans le royaume et dit : «Cesse de te tourmenter, reine, je compterai tes sujets.»
Il sortit son chalumeau et se mit à y jouer un petit air. Les brebis se répan-

«Je ne le puis ; mon frère, le génie de la lampe, est plus puissant que moi. Mais je vais te mener à la demeure du magicien, tu reprendras ta lampe et mon frère accomplira ton souhait.»
Ainsi fut fait et le génie de la lampe rendit à Aladin son palais et sa femme.

dirent dans le pré et le berger les mena à la rivière et son pont étroit. Il les y fit passer bien en ordre, l'une derrière l'autre. Et voici les brebis qui passent et qui passent et les berger qui les compte et les compte. Il faut attendre qu'elles aient toutes passé de l'autre côté : une, deux, trois, quatre . . . jusqu'à ce que retentisse la clochette d'or car ce sera la fin de l'histoire!

16 MARS

17 MARS

Le pauvre meunier et la petite chatte

chats. Ils accueillirent Jeannot, le firent asseoir à table et se mirent à jouer une musique endiablée.

18 MARS

Le pauvre meunier et la petite chatte

Au matin, la maîtresse de céans envoya le jeune homme au travail. Elle lui donna une cognée et une scie en argent pour qu'il allât couper du bois. Jeannot se mit aussitôt à la tâche et eut bientôt abattu tout un bosquet. Puis la chatte lui ordonna de faucher le pré devant le château avec une faux en or. Jeannot amoncela un gros tas de foin bien sec. La chatte l'en félicita :
«Je suis contente de toi, Jeannot.»
Le temps passait et Jeannot se deman-

Il y avait une fois un meunier qui n'avait pas d'enfants. Il employait à son moulin trois valets : un vieux, un jeune et un apprenti. Un jour, le vieux meunier les fit venir et leur tint ce langage :
«Partez tous trois à l'aventure et celui d'entre vous qui ramènera le plus beau cheval, celui-là sera mon héritier.»
Les trois garçons se mirent en route. Mais les deux aînés ne voulaient pas emmener avec eux le plus jeune, Jeannot ; ils le conduisirent dans le bois et s'arrangèrent pour le perdre. Jeannot était bien attristé par leur traîtrise mais, tout à coup, surgit à ses côtés une petite chatte qui miaula :
«Si tu viens me servir fidèlement pendant sept ans, je te donnerai en récompense un cheval si bon que personne n'en vit pareil au monde.»
Jeannot suivit la chatte. Elle le mena à un château où n'habitaient que des

dait quand il allait recevoir le cheval promis.
«Quand tu auras construit une maisonnette avec ces solives d'argent», promit la chatte.
Le jeune homme se mit à l'œuvre toujours avec le même zèle. Bientôt s'éleva la plus charmante des demeures. La chatte en fut fort contente :

«Cela fait aujourd'hui juste sept ans que tu es entré à mon service. Reprends les pauvres habits avec lesquels tu es arrivé ici et retourne chez ton maître le meunier. Demain, je t'amènerai moi-même le cheval que je t'avais promis en récompense de ton bon travail.»

19 MARS

Le pauvre meunier et la petite chatte

Quand Jeannot arriva au moulin, les deux autres valets qui étaient revenus depuis longtemps ne lui ménagèrent pas les railleries bien qu'ils n'eussent ramené de leur voyage que deux pauvres rosses. Le vieux meunier grommela :
«Comment n'as-tu pas été capable,

en tant d'années, d'avoir au moins des habits neufs!»
Mais le lendemain, apparut sur la route un carrosse d'or d'où descendirent des chattes. Dès qu'elles touchaient la terre, elles se changeaient en belles jeunes filles et la chatte bigarrée prit la forme d'une charmante princesse qui dit à Jeannot :
«Je t'amène ton cheval.»
Et elle montra un cheval attaché derrière le carrosse. Mais quel cheval! Il portait un chien qui portait un écureuil ; ils sautèrent à terre et se changèrent en un valet et une chambrière. Ils revêtirent Jeannot de beaux habits et la princesse le conduisit dans la maisonnette d'argent.
La maisonnette d'argent devint un superbe palais dont Jeannot est encore l'heureux souverain.

20 MARS

Comment Simplet délivra la princesse

58

Il y avait une fois un jeune garçon que l'on appelait Simplet. On pensait qu'il ne savait même pas compter jusqu'à cinq et son père n'osait lui confier sa vache pour la mener à la pâture. Un jour, il supplia son père :

«Mon père, laissez-moi mener notre vache aux champs, vous verrez que je m'en tirerai très bien!»

Le père se laissa fléchir. Simplet conduisit la vache vers la rivière. A peine avaient-ils atteint la rive que la vache sauta à l'eau et se mit à nager vers l'autre rive. Simplet eut tout juste le temps de se cramponner à sa queue.

«Arrête, sot animal, cria-t-il furieux, où penses-tu aller comme ça!»

Mais la vache n'obéit point et elle mena Simplet jusqu'à un magnifique château. Tout y était d'or et d'argent et l'étable embaumait le foin frais. La vache s'installa devant la mangeoire et s'emplit la panse. Quand elle fut rassasiée, elle se laissa ramener à la maison. La vache semblait bien repue et le vieux père remercia son fils.

terre trembla et, devant le jeune homme, se dressa une ravissante princesse. Elle se jeta dans les bras de Simplet et le remercia de l'avoir délivrée. Puis elle le fit asseoir à ses côtés sur un trône d'or. Et voilà Simplet devenu un monarque sage et avisé.

22 MARS

Doublœil et ses sœurs

Il y avait une fois une femme qui avait trois filles. La plus âgée n'avait qu'un seul œil au milieu du front et on la nommait Uniquœil. La seconde avait deux yeux comme tout le monde, aussi l'appelait-on Doublœil. Quant à la plus jeune, on lui disait Triplœil car elle avait trois yeux. Doublœil était bien malheureuse, ses sœurs l'enviaient parce qu'elle était la plus belle. La pauvre petite devait partir tous les jours de grand matin pour mener paître la chèvre et quand elle rentrait à la nuit tombée, il ne restait rien dans les écuelles. Un jour qu'elle était aux champs, elle vit devant elle une dame inconnue qui lui dit :

«Cesse de pleurer! Désormais, quand tu auras faim, tu n'auras qu'à dire :

21 MARS

Comment Simplet délivra
la princesse

De ce jour, ce fut Simplet qui mena la vache à la pâture. Une fois, en arrivant au château, il vit devant la porte un chien noir qui lui dit :

«Demain, quand tu viendras avec ta vache, apporte une hache!»

Simplet fit ce qu'on lui demandait et, le lendemain, le chien lui ordonna :

«Coupe-moi la tête!»

Simplet ne voulait pas, mais le chien insista et il obéit. La hache tomba, la

59

''Chèvre, fais : bêê . . .
Table se met !''
et tu auras un délicieux repas.»
Doublœil obéit et, en vérité, l'instant
d'après elle vit devant elle une table
couverte des mets les plus succulents. Quand elle eut fini, la dame dit :
«Chèvre, fais : bêê . . .
Table disparaît !»
La table disparut et la dame inconnue
avec elle.

23 MARS

Doublœil et ses sœurs

Désormais, les choses allaient beaucoup mieux pour Doublœil. Mais sa
mère et ses sœurs s'étonnèrent qu'elle ne se jetât pas sur la nourriture
comme auparavant. La mère envoya
Uniquœil aux champs pour observer
sa sœur. Bientôt Doublœil voulut
commander à sa chèvre son repas ha-
bituel mais, auparavant, elle se mit
à chanter :

«Uniquœil, tu veilles ! Uniquœil, tu
dors !»
Et Uniquœil s'endormit. Alors Doublœil se fit servir son repas et fit disparaître la table. Le soir venu, elle réveilla sa sœur et elles s'en retournèrent. Uniquœil avoua à sa mère
qu'elle avait dormi et n'avait rien vu.
La mère envoya le lendemain Triplœil
aux champs avec sa sœur. Les deux
jeunes filles s'assirent sur l'herbe et
Doublœil se mit à chanter :
«Triplœil tu veilles» mais, ensuite, elle
se trompa et continua : «Doublœil, tu
dors.»
Ainsi elle n'endormit que deux des
yeux de sa sœur qui garda le troisième ouvert pour voir ce qui allait se
passer. Dès qu'elles furent rentrées,

elle rapporta à sa mère que la chèvre
servait des festins à sa sœur.

24 MARS

Doublœil et ses sœurs

Quand la mère apprit ce que faisait la

60

Les deux musiciens

chèvre, de colère, elle l'égorgea. Pauvre Doublœil ! Elle voulut se noyer de chagrin. Mais la dame inconnue lui apparut encore une fois et lui dit :
«Prends la corne de ta chèvre et enterre-la devant votre porte !»
Doublœil fit comme on le lui disait et, le lendemain, un arbre magnifique avait poussé devant la chaumière. Ses feuilles étaient d'argent et il portait des pommes d'or. Quand Doublœil s'approcha, les pommes d'or tombèrent d'elles-mêmes dans son tablier. La méchante mère les lui prit toutes. Un jour, un beau chevalier vint à passer devant la chaumière :
«A qui appartient cet arbre magnifique ? demanda-t-il. Je donnerai tout ce qu'il voudra à qui m'en cueillera un fruit.»
La mère et les sœurs dirent que l'arbre était à elles et entreprirent de cueillir une pomme. Mais les branches se dérobaient sous leurs mains. Une pomme d'or se détacha et roula là où était cachée Doublœil. Le chevalier s'approcha et découvrit la jeune fille. Il lui demanda si elle lui cueillerait une branche de l'arbre et Doublœil la lui cueillit avec joie.
«Je sais, maintenant, à qui appartient vraiment cet arbre», dit le chevalier.
Et il assit Doublœil derrière lui sur son cheval et l'emmena dans son château.

Deux pauvres musiciens parcouraient le monde. L'un jouait de la trompette, l'autre du tambour. Un jour, ils arrivèrent près d'une fontaine auprès de laquelle dansaient des fées. Leur reine demanda :
«Jouez-nous un petit air, Messieurs les musiciens !»
Le trompettiste accepta bien volontiers et emboucha son instrument. Le joueur de tambour, lui, ne voulut rien savoir. Il s'étendit sur l'herbe et dormit. Le trompettiste joua et fit danser les fées. Quand elles en eurent assez, la reine dit :
«Vous allez tous deux recevoir votre récompense.»
Elle caressa le trompettiste avec une primevère d'or et frappa le joueur de tambour avec un chardon sec.
Les musiciens arrivèrent ensuite dans un village où se tenait une grande

fête. Le trompettiste leva sa trompette, le joueur de tambour empoigna ses baguettes, mais alors miracle ! De la trompette jaillirent des pièces d'or et il en tomba tant que le musiciens joua. Mais du tambour s'envolèrent des guêpes qui se jetèrent sur l'autre musicien et l'obligèrent à fuir.

26 MARS

Les deux musiciens

Le brave trompettiste resta au village et épousa la fille du maire. Mais pour le joueur de tambour, les choses allaient de mal en pis. Un jour, il revint dans les bois : les fées surgirent devant lui et le prièrent :

«Joue-nous un petit air !
— Je veux bien, répondit le musicien, à condition que vous me donniez une trompette magique.»
La reine des fées arracha une tige de roseau et la battit avec un chardon sec. A l'instant, le roseau se changea en une trompette d'or. Le musicien se jeta dessus et s'enfuit. Il s'arrêta un peu plus loin et souffla dans la trompette mais, à l'instant, il lui arriva d'étranges choses ! Son corps se couvrit de poils, des griffes lui poussèrent aux mains et aux pieds, son nez s'allongea en bec de rapace. Le musicien se mira dans un étang et faillit mourir de peur : il était devenu un fantôme ! Depuis ce temps, on entend, par les nuits de clair de lune, d'étranges gémissements : c'est le musicien qui joue pour les fées, en attendant qu'elles lui pardonnent.

27 MARS

Le coffret de fer

Il y avait une fois un pauvre paysan qui, dans un vieux tronc, trouva un coffret fermé à clé. A ce moment, une vieille femme apparut devant lui et dit :
«Ce coffret est plein de ducats. Tu peux le garder à condition que tu n'en parles à personne. Sinon, il t'arriverait malheur !»
A ces mots, elle disparut. Le paysan ouvrit le coffret. La vieille n'avait pas menti. Il appela sa femme pour lui conter l'heureuse aventure et ajouta :
«Mais, fais bien attention, n'en souffle mot à personne !»
La paysanne promit. Puis elle alla ache-

ter de la viande, de la farine et la voilà en cuisine ! Des fumets embaumés s'échappaient de la chaumière, la voisine en eut l'eau à la bouche et s'écria :

«Que faites-vous donc de si bon ?

—Je ne dois pas en souffler mot, répondit la femme, mais mon mari a trouvé un coffret plein de ducats et je lui mijote un dîner de fête!»

La voisine courut le conter au fossoyeur qui le conta au sacristain et le sacristain le conta à Monsieur le Curé qui l'alla rapporter à Monsieur le Juge.

28 MARS

Le coffret de fer

Le juge convoqua le paysan par devers lui et l'accusa :

«Écoute bien, mauvais drôle ! Je sais que tu as volé un plein coffre d'écus. C'est ta propre femme qui l'a dit.

— Honoré seigneur, se récria le paysan, comment pouvez-vous ajouter foi à des racontars de bonne femme ?»

Mais le juge ne se laissa pas convaincre :

«Elle est folle, dis-tu ? Hé bien, tu viendras au tribunal dans quinze jours et tu l'amèneras, nous verrons bien si elle a sa raison ou non !»

L'infortuné paysan eut alors une idée. Il acheta chez tous les boulangers brioches et gâteaux et les répandit devant chez lui, puis il appela sa femme :

«Quand deviendras-tu enfin bonne ménagère ? Il pleut de partout dehors des brioches et des gâteaux et tu ne les a pas ramassés !»

La femme fut plutôt étonnée mais s'empressa de remplir de gâteaux et de brioches un grand panier. Le lendemain, le paysan lui cria tout à coup :

«Hé, la mère, cache-toi vite sous le cuveau ! Les soldats du roi approchent ! Ils ont tous un long bec au lieu de bouche et ils en piquent toutes les femmes qu'ils rencontrent jusqu'à ce que la mort s'ensuive !»

La malheureuse femme se fourra sous le cuveau.

Le coffret de fer

Elle tremblait de peur. Cependant le paysan répandit un plein sac de grain et ouvrit la porte du poulailler. Les poulets se mirent à becqueter le grain tout à l'entour du cuveau. Quand ils eurent fini, le paysan appela sa femme :
«Hé, la mère, tu peux sortir, les soldats sont partis !»
Quinze jours après, ils comparurent devant le juge qui ordonna tout de suite à la femme de dire ce qu'elle savait de cet argent. Elle, tout épouvantée, raconta comment son mari avait rapporté d'on ne sait où dans les bois un plein coffret de ducats.
«Ne la croyez pas, honoré Seigneur !» s'écria le paysan.
Il se tourna vers sa femme et lui dit :
«Et quand cela s'est-il passé, selon toi ?

— Tu ne peux pas l'avoir oublié, s'exclama celle-ci. Le même soir, il a plu des brioches et des gâteaux tout autour de notre maison. Et après sont arrivés les soldats avec leurs longs becs. Quel bruit faisaient-ils en becquetant partout !»
«Elle est vraiment folle à lier !» dit le juge et ils laissa le paysan aller en paix.

La fiancée stupide

Un meunier avait une fille très sotte. Un jour, un lourdaud de village passa par là. La mère se dit :
«Mieux vaut un lourdaud pour gendre que pas de gendre du tout !»
Elle l'invita à souper et on convint que

le lourdaud épouserait la fille du meunier. La mère envoya la fille chercher de la bière à la cave. Celle-ci posa la cruche par terre, ouvrit le robinet, regarda autour d'elle et vit une hache fichée dans une poutre :
«Seigneur Dieu ! s'écria-t-elle. Si nous avions un enfant et que la hache lui tombe sur la tête !»
Elle éclata en sanglots. Cependant la bière coulait et bientôt déborda de la cruche. La mère survint :
«Pourquoi pleures-tu ? »
La fille lui expliqua quel horrible malheur menaçait son futur enfant et la mère se mit aussi à pleurer. La bière cependant leur montait à la cheville, et bientôt arriva le père. Quand il apprit le triste sort qui attendait son futur petit-fils, il pleura à chaudes larmes, lui aussi. Alors le fiancé vint et tous de lui raconter quelle mort affreuse risquait son fils. Il éclata de rire et dit :
«Mieux vaut épouser la misère qu'une pareille idiote !»

31 MARS

Quand un écu d'or se marie avec un sou d'argent

Bien loin, vivaient deux frères : l'un était riche et l'autre très pauvre. Le pauvre trouva un jour un sou d'argent. Il l'apporta chez son riche frère et lui dit :
«Ecoute, mon frère, j'ai trouvé une fiancée pour tes écus d'or. S'ils ont un enfant, je te redonnerai toute la famille.»
Le riche était bien étonné mais, comme il était très rapace, il accepta cette curieuse offre. Quelques jours après, le frère pauvre revint chez le riche lui apportant un écu d'or, un sou d'argent et un liard de cuivre et dit :
«Nos pièces ont eu un enfant. Quel dommage qu'ils n'aient pas été tous deux des écus d'or, sans doute auraient-ils eu un fils à leur image.»
Le richard n'en croyait pas ses yeux et confia à son frère tous ses écus d'or. Quelque temps passa. Ne voyant pas revenir son frère, le riche alla lui demander des nouvelles de ses écus. Le pauvre prit alors un air affligé :
«Hélas, mon frère, cela a mal tourné. Tous tes écus sont morts !
— Pauvre imbécile, comment des écus pourraient-ils mourir?
— S'ils peuvent avoir des enfants, pourquoi ne pourraient-ils pas mourir?» répondit le pauvre en riant dans sa barbe.
Et le juge de ce pays qu'ils allèrent consulter en rit et fut du même avis.

AVRIL

Quand les souris font amitié avec les chats

Il était une fois un chat qui proposa à une souris de mener vie commune. La souris se laissa convaincre et vint s'installer à demeure chez le chat. En prévision de l'hiver, ils achetèrent des provisions : un bon gros pot de graisse de porc. Où pourrions-nous bien le mettre, se demandait le chat, et la souris eut une bonne idée. Ils le cachèrent à l'église, sous l'autel. Un jour, le chat se sentit en goût de s'offrir un peu de graisse. Il dit à la souris : «Ma chère cousine vient de mettre au monde un petit, il me faut aller à l'église car je dois être le parrain.» Le chat s'en fut à l'église et mangea tout le dessus du pot de graisse. Quand il revint, la souris lui demanda : «Et comment s'appelle ton petit filleul?
— Il s'appelle Plus-de-Dessus.
— Drôle de nom, s'étonna la souris.
— Que tu es sotte ! Un nom en vaut un autre.»

Quand les souris font amitié avec les chats

Le chat fit une seconde expédition contre le pot de graisse et en dévora la moitié, sous le même prétexte. La souris lui demanda :
«Et l'enfant, comment s'appelle-t-il?
— Plus-que-la-moitié», répondit le chat. Bientôt, il eut à nouveau une cousine qui avait besoin de lui comme parrain. Cette fois, il vida le pot et quand la souris lui demanda le nom du filleul : «Plus rien», répondit-il.
Quand il n'y eut plus rien à manger, la souris se souvint du pot de graisse et alla, accompagnée du chat, à l'église. Mais le pot était vide.
«Ah! c'est ainsi, cria-t-elle, tu as tout mangé sans moi! D'abord Plus-de-Dessus, puis Plus-que-la-Moitié . . .
— La paix, grogna le chat, sinon, je te dévore, toi !
— . . . Et après, Plus-Rien !»
Alors le chat lui sauta dessus et l'avala.
«C'est ainsi quand les chats et les souris font amitié», conclut le chien qui raconta cette histoire.

67

3 AVRIL

La tête de mouton

Il y avait une fois un paysan qui envoya son jeune fils acheter au marché une tête de mouton rôtie. Le garçon courut tout le chemin d'aller mais au retour, il se hâta moins. La viande embaumait et le garçon grignotait un petit morceau de-ci, de-là, si bien qu'à la fin, de la tête ne restaient que les os. «Qu'est-ce que tu me rapportes ? de-

L'ondin qui ne pouvait dormir

manda le père.
— Mais ne vois-tu pas, mon père, la tête de mouton !
— Mais, où sont les yeux ?
— Hélas, papa, le pauvre mouton était aveugle !
— Et où sont les oreilles ?
— Hélas, papa, le pauvre mouton était sourd !
— Et où est la langue ?
— Hélas, papa, le pauvre mouton était muet !»
Sur ce, le petit malin courut vers sa mère pour lui demander un gâteau.

Dans un étang, vivait une fois un vieil ondin grognon. Un mauvais plaisantin de poisson lui avait volé le sommeil et le malheureux ne pouvait fermer l'œil. Une nuit, passa sur la rive un vagabond. L'ondin l'agrippa de ses longs doigts verts en grommelant :
«Je te tiens ! Si tu ne me dis pas où je puis retrouver le sommeil que l'on m'a volé, je te noie !»
Le vagabond rassembla tout son courage et dit :
«Tu ne peux pas dormir ? Et quelle sorte d'eau coule par-dessus ta tête ?
— De l'eau de source, répondit l'ondin.
— Pauvre sot, bien sûr, elle est trop dure ! Couche-toi dans l'eau des marais et tu dormiras comme une souche !»

68

L'ondin s'installa dans le marais et il passa une nuit aussi blanche que les autres. Un des jours suivants, il attrapa encore ce vagabond et lui dit : «Tu m'as trompé ! Je vais te noyer.

— Tu sais ce qu'il te faut faire ? Appelle toutes les grenouilles pour qu'elles te chantent une berceuse !» L'ondin se laissa convaincre et le soir les grenouilles se mirent à chanter. C'était une musique infernale de terribles coassements, mais l'ondin dans le creux d'un saule dormit comme un bienheureux.

5 AVRIL

Comment Kouba le simple devint voleur

Dans une noire forêt, vivait un vieux brigand avec son fils Kouba, qui était un grand sot. Un jour, le père lui dit : «Mon fils, je n'y vois presque plus, le pistolet tremble dans ma faible main. Le temps est venu pour toi de me succéder. Je ne puis te nourrir jusqu'à la fin de ma vie.»
Voilà Kouba au pied du mur! Il prit son chapeau à plume et se mit dans un tonneau qui le roula du haut de la montagne dans la vallée. Il y fit rencontre d'un misérable porte-guenilles, les poches trouées et qui n'avaient jamais contenu un liard. Kouba le simple lui cria :
«La bourse ou la vie !

— Honoré seigneur voleur, je n'ai qu'une vie. Je préfère la garder et vous donner plutôt tout mon argent. Mais attention : ce que je possède, c'est la monnaie de vent. Le mieux est que nous échangions nos habits et

vous aurez tout ce que contiennent mes poches, sans rien perdre !
Kouba le simple revêtit les haillons du guenilleux et lui donna ses beaux habits de voleur.
Quelle réception eut-il de son père après ce brillant brigandage ! Il goûta au bâton !

6 AVRIL

Le petit Mouk

Dans une contrée lointaine, vivait le petit Mouk. Il s'en alla, avec son cheval, tenter sa chance de par le monde. Il arriva à une ville fort belle. Une vieille femme y vivait dans une maison pleine de chiens et de chats. Elle engagea le petit Mouk à son service et lui recommanda de bien s'occuper de ses animaux. Le petit Mouk se plaisait

bien chez la vieille dame et sut bientôt se faire aimer de toutes les petites bêtes. Surtout d'un chien tout perclus. Celui-ci amena un jour le petit Mouk dans une chambre secrète. Elle ne renfermait que de grandes pantoufles et une drôle de canne. Le petit chien dit d'une voix humaine :
«C'est une canne magique. Si le sol contient de l'or, la canne frappe trois fois. Si elle ne le frappe que deux fois, c'est qu'il contient de l'argent. Prends aussi ces pantoufles enchantées. Si tu les as aux pieds et que tu tournes trois fois sur toi-même, elles te mènent où tu souhaites aller.»
Bientôt le petit Mouk eut tant d'or et

tant d'argent qu'il ne pouvait le porter. Il chaussa les pantoufles enchantées et leur demanda de le conduire dans le palais du roi. Il y demanda au roi de l'engager comme le plus rapide de ses coureurs.

7 AVRIL

Le petit Mouk

Le roi rit bien fort mais le petit Mouk le supplia tant qu'il accepta finalement de le mettre à l'épreuve. Le lendemain, une grande fête avait lieu au palais où s'étaient réunis les plus rapides coureurs du royaume afin que, devant le roi, ils prouvassent quel était le meilleur. Le petit Mouk chaussa les pantoufles enchantées et, avant que les autres aient pu comprendre ce qui se passait, il avait déjà atteint le but. Le roi nomma le petit Mouk son premier coureur et messager. Mais les envieux constatèrent que le petit homme possédait des quantités d'or et d'argent et de mauvais bruits commencèrent de courir en ville. A la fin, le bruit parvint aux oreilles du roi que Mouk puisait dans son trésor personnel. Il se fâcha et fit mettre en prison l'infortuné petit Mouk.

8 AVRIL

Le petit Mouk

Pour se justifier, le petit Mouk révéla alors au roi le secret des objets magiques. Mais le souverain félon s'en empara et chassa le malheureux de son palais. Mouk erra longtemps et enfin arriva à un bois où poussaient de beaux figuiers. Affamé, il mangea quelques fruits et s'aperçut avec terreur qu'il lui était poussé d'énormes oreilles et un grand nez difforme. Le petit homme se mit à pleurer. Puis, dans son désespoir, il mangea les fruits d'un autre figuier et ses oreilles et son nez reprirent leur forme. Alors il retourna dans la ville royale et donna quelques fruits du premier figuier au cuisinier du palais. Le soir, le roi y goûta et faillit en mourir de désespoir. Des oreilles et un nez de cette sorte, même les éléphants royaux n'en avaient jamais eus. Sur ces entrefaites Mouk se présenta, déguisé en médecin :

«Je puis te débarrasser de ces affreux ornements, Sire le Roi, si tu me promets que je pourrai prendre tout ce que je voudrai dans ton trésor.»
Le roi accepta et le mena dans la chambre aux trésors. Mouk reprit sa canne magique et ses pantoufles enchantées, il les chaussa et cria :
«Tu garderas jusqu'à la mort ce nez d'âne et ces oreilles d'éléphant, roi ingrat!»
Disant ces mots, il tourna trois fois sur lui-même et disparut nul ne sait où.

9 AVRIL

Cendrillon

Il était une fois un marchand qui était bien riche ; mais son plus précieux trésor, c'était sa femme belle comme le jour et sa fille, plus belle encore. Le malheur frappe souvent les braves gens et le marchand vit mourir sa femme. La jeune fille allait chaque jour sur la tombe de sa mère et son chagrin fendait le cœur de son père qui se résolut à donner à sa fille une belle-mère. Cette seconde mère avait deux jolies filles, mais leur cœur était plein de méchanceté et d'envie. Dès que le marchand mettait le pied hors de la maison, elles maltraitaient la pauvre orpheline.
Elles lui prirent ses jolies robes, lui donnèrent de gros sabots et la vêtirent d'un vieux sac. Puis elles l'envoyèrent à la cuisine faire toutes les basses besognes. Elles ne lui permettaient même pas de regagner son lit et elle dormait dans la cheminée. La malheureuse était toute couverte de cendres et elles se moquaient d'elle en l'appelant Cendrillon.

Cendrillon

Pauvre Cendrillon n'osait même pas se plaindre à son père. Un jour, le marchand dut se rendre à la ville et demanda à ses deux belles-filles ce qu'elles désiraient qu'il leur rapportât. Elles réclamèrent des robes somptueuses et bien d'autres choses. Mais Cendrillon demanda simplement qu'il lui donnât la première petite branche qui s'accrocherait à son chapeau. Le marchand fit ses achats puis s'en retourna à la maison et une brindille de noisetier s'accrocha à son chapeau. Il la donna à Cendrillon qui la planta sur la tombe de sa chère maman et l'arrosa de ses larmes. Sous les yeux même de la pauvre enfant, il en poussa un magnifique noisetier vers lequel vola un oiseau blanc qui dit à Cendrillon : «Ma chère petite, quoi que tu puisses souhaiter, je l'accomplirai.»
Mais la douce enfant ne souhaitait qu'une chose : se consoler en se souvenant de sa mère bien-aimée. Quand Cendrillon regagna sa demeure, elle

trouva sa belle-mère et ses sœurs en train de se préparer pour la fête qui se donnait au palais du roi et où le jeune prince devait choisir sa fiancée. Cendrillon pria qu'on l'y menât mais la belle-mère lui dit :
«Jamais nous ne t'emmènerons avec nous, tu nous couvrirais de honte.»

11 AVRIL

Cendrillon

Cendrillon courut alors vers son noisetier et l'implora :
«Fais-moi une robe, mon cher noisetier, pour que je puisse plaire au prince!»
Le noisetier frémit et les oiseaux blancs apportèrent à Cendrillon une robe tissée d'or et d'argent et encore des pantoufles de velours. Cendrillon s'en revêtit et courut au palais. Toute la compagnie s'immobilisa pour admirer sa beauté. Et le prince ne voulut danser qu'avec elle. Mais quand sonnèrent les douze coups de minuit, Cendrillon s'enfuit chez elle. Le prince enfourcha son cheval pour la rattraper

mais Cendrillon s'enferma dans le pigeonnier. A ce moment, survint le père et le prince lui réclama la jolie princesse enfermée. Mais Cendrillon n'y était plus, elle avait regagné sa place dans la cheminée et faisait semblant de dormir. Le prince retourna au palais, bien triste.

12 AVRIL

Cendrillon

Le lendemain, le noisetier fit présent à Cendrillon d'une robe encore plus belle et de pantoufles d'argent. Et le prince dansa encore toute la nuit avec elle. Mais Cendrillon lui échappa encore et se cacha dans le feuillage d'un vieux poirier. Quand le prince s'en approcha, Cendrillon se coula à terre et reprit sa place dans la cheminée. Le troisième soir, le prince fit enduire en secret de poix les marches du palais et quand, à minuit, Cendrillon s'échappa encore une fois, une de ses petites pantoufles, qui était d'or ce jour-là, y resta prise. Le prince la saisit et courut à la demeure de Cendrillon.

Il y trouva les méchantes sœurs, il les salua et leur dit :
«Je prendrai pour femme celle d'entre vous qui pourra chausser cette pantoufle.»
Nul ne prêta attention à la pauvre Cendrillon. Les deux sœurs essayèrent. La plus jeune se coupa les doigts et put passer le pied dans la pantoufle. Survint alors l'oiseau blanc qui pépia : «Vois, vois! Va-t-elle donc la pantoufle quand il n'y pas de doigts.»
La prince repoussa la trompeuse. Mais la sœur aînée ne pouvait non plus enfiler la pantoufle d'or et sa mère lui coupa le bout du pied. Mais encore une fois l'oiseau blanc le fit remarquer. Cendrillon proposa d'essayer à son tour et le petit soulier d'or

lui allait tout juste. Le prince alors reconnut sa charmante danseuse et s'écria : «C'est toi que je veux pour femme et nulle autre!»
Et il prit sur son cheval l'heureuse Cendrillon pour l'emmener au palais.

13 AVRIL

Le manège magique

Il était une fois un petit garçon qui avait un chaton qu'il aimait tendrement. Le chaton, un jour s'en alla promener et jamais ne revint. Le garçon en conçut un grand chagrin. Quelque temps après, arriva au village un vieil homme qui tenait un manège. Il cria : «Venez, venez, mon manège magique vous mènera là où vous souhaitez aller!»
Les enfants firent des tas de souhaits, les uns voulaient aller en Amérique, les autres dans la chaumière en pain d'épice, mais notre petit garçon ne désirait qu'une chose : retrouver son chat. Le manège magique se mit en route et les chevaux de bois les emportèrent bien vite dans un étrange pays. Il y avait beaucoup de gens et beaucoup d'animaux mais tous avaient une bizarre apparence, on aurait dit des ombres. Parmi eux, le garçon reconnut bientôt son chaton et lui demanda :
«Où sommes-nous?
— Au pays du souvenir, répondit le petit chat. C'est là qu'habitent tous ceux que quelqu'un regrette très fort. Je ne peux retourner à la maison. Mais si, avant de t'endormir, tu m'appelle par mon nom, j'apparaîtrai dans tes rêves.»

Le petit garçon, tout étonné, se retrouva sur la place de son village. Et le manège magique avait disparu. Mais chaque fois que, avant de s'endormir, il appelait son chaton, il le voyait dans ses rêves.

14 AVRIL

Histoire de la méchante chèvre

Il y avait une fois une pauvre vieille qui vivait dans sa chaumière. Un jour, une chèvre lui demanda de la laisser entrer pour se chauffer un peu. Dès que la vieille l'eut fait entrer, la chèvre, à coups de corne, l'expulsa de la chaumière. La vieille demanda de l'aide à un baudet, son voisin. Celui-ci alla cogner de ses sabots à la porte en criant:

«Sors de là, stupide chèvre, sinon je te réduis en bouillie!»

La chèvre sortit la tête et envoya au baudet un violent coup de ses cornes. La pauvre vieille alla demander de l'aide à l'ours, mais sans plus de succès. Il eut la fourrure entamée et la vieille ne savait plus à quel saint se vouer. Comme elle allait pleurant, elle

75

La vieille jardinière

Il avait une fois un roi qui ordonna à tous ses sujets d'être heureux. Il était interdit de pleurer. De ce jour, tout le monde sourit. Mais plus les gens riaient, plus ils avaient le cœur lourd. Un jour, une vieille femme installa sous les fenêtres du palais son éventaire de fleurs. Elle avait de belles fleurs mais toutes avaient l'air triste. Le roi apostropha la vieille jardinière : «Pourquoi tes fleurs ont-elles l'air si lamentable?»
La vieille femme dit :
«Le bonheur ne se commande pas,

fit rencontre d'un hérisson qui lui dit : «Je te débarrasserai bien de cette méchante chèvre!»
Il alla toquer à la porte, se mit en boule et quand la chèvre voulut lui faire goûter de ses cornes, il la piqua cruellement. Elle en bêla de douleur et s'enfuit. La vieille, tout heureuse, se réinstalla chez elle.

Sire le Roi! Quiconque veut être heureux doit d'abord purifier son cœur en versant de bonnes larmes. Mes fleurs pâtissent parce qu'il leur manque les larmes humaines!»
A ce moment, un bouton de rose se prit à chanter une chanson mélancoli-

que. Cela était si doux et si triste que le roi sentit les larmes lui monter aux yeux! Et ses courtisans se mirent à pleurer avec lui. Aussitôt tous se rendirent compte que les larmes leur ôtaient un lourd poids du cœur et ils se prirent à sourire. Toutes les fleurs se redressèrent et brillèrent d'un éclat sans pareil, mais la vieille femme avait disparu.

Comment le roitelet devint roi

Dans les temps anciens, tout parlait dans ce monde. Chaque son avait un sens.

Les oiseaux aussi avaient un langage et tout le monde les comprenait très bien. Vint l'époque où les oiseaux décidèrent de tenir assemblée pour élire un roi. Dans un champ, se réunit toute la gent à plumes : l'aigle et le pinson, le hibou et la huppe et enfin un oiseau minuscule qui n'avait même pas de nom tant il était petit.

Cependant, les oiseaux tenaient leur

assemblée et décidèrent qu'ils prendraient comme roi celui d'entre eux qui volerait le plus haut. La poule, qui était dure d'oreille, ne comprit pas bien et demanda au coq qui lui expliqua ce qu'on avait résolu.

La corneille qui attendait avec impatience le commencement de l'épreuve, approuva :

«Cra, cra, cra, voilà qui est crâne!»

Comment le roitelet devint roi

Le lendemain dès l'aurore, apparut à l'horizon une troupe d'oiseaux.

Chacun essaya ses forces pour gagner la royauté, mais bientôt, dans le haut du ciel, il ne resta plus que l'aigle. Les oiseaux s'écrièrent :

«C'est toi qui seras notre roi! Nul ne peut voler aussi haut que toi!»

Mais alors se fit entendre une voix menue et l'on vit tourner au-dessus de l'aigle le tout petit oiseau qui n'avait pas de nom. Il s'était caché dans les plumes de l'aigle et ainsi il avait volé plus haut qu'aucun aigle ne l'avait jamais osé. Les oiseaux protestèrent et ils prirent une autre décision. Serait leur roi celui qui s'enfoncerait le plus profondément dans la terre.

Alors le malin petit s'enfonça dans un trou de souris et cria :

«C'est moi le roi!»

Les oiseaux se mirent en colère :

«Nous ne voulons pas comme roi un petit bout d'oiseau de rien du tout!»

Ils décidèrent de le laisser mourir de faim dans son trou et mirent le hibou en sentinelle pour qu'il ne s'échappât point. Mais le sommeil gagna le hibou, il dormit d'abord d'un œil, puis de l'autre et enfin des deux. Alors le petit oiseau s'envola. Depuis ce jour, le hibou ne se montre pas volontiers pendant le jour de peur que les autres oiseaux le bousculent. Et le petit oiseau se cache dans les épines ou dans les haies vives et on l'appelle le roitelet.

18 AVRIL

L'ours et le roitelet

Un jour, l'ours et le loup se promenaient de compagnie. Tout à coup, l'ours demanda :

«Qui chante si bien?

— Ce doit être, répondit le loup, ce

petit oiseau qui se croit le roi de tous les oiseaux. Il se cache toujours dans les haies vives.»

L'ours fut pris de curiosité, il voulait voir de quoi avait l'air le palais royal de cet étrange oiseau. Ils attendirent que le Roi et la Reine partissent quérir leur nourriture et l'ours vit des petits pas plus gros que des puces et s'écria :

«Ça, un palais royal! Vous me semblez des enfants de guenilleux!»

Que n'avait-il pas dit! Les petits se mirent à crier de la belle manière et dès que le père revint, les petits lui racontèrent quelles méprisantes paroles l'ours avait prononcées. Le roitelet se mit fort en colère :

«Attends, messire ours! Tu vas voir!»

Il fila vers la tanière de l'ours et lui déclara la guerre. Les hostilités devaient commencer dès le lendemain.

19 AVRIL

L'ours et le roitelet

L'ours ne perdit pas de temps; aux premiers rayons de l'aube, il mobilisa tous ceux qui, sur la terre, marchaient. Le roitelet, lui, appela à son aide tout

renard. Le renard se mit la queue entre les jambes. Ce que voyant, les animaux crurent la partie perdue et s'enfuirent à toutes pattes. C'est ainsi que le roitelet gagna la grande guerre contre l'ours. Là, le vieux grognon dut faire des excuses aux petits roitelets.

20 AVRIL

Le dragon-orchestre

Il y avait une fois un royaume dans lequel vint s'installer un dragon à dix têtes. Le roi en fut fort contrarié.
«Vous verrez : ce monstre voudra que je lui donne ma fille en mariage!»
Il s'assit sur son trône et s'annonça Monsieur le Chef de la Fanfare royale, le seigneur Estadrata, qui déclara :
«Votre Majesté, si je puis me permettre, tous les musiciens ont fui hors du royaume, parce que vos royales filles tirent tout le temps la queue de vos

ce qui vole y compris les mouches, les guêpes et les moustiques. Un moustique partit en éclaireur. Il se cacha sous la feuille d'un arbre et entendit que les animaux nommaient général le plus rusé des renards.
«J'accepte, dit le renard, mais convenons d'un signal. Je possède une magnifique queue. Si je la tiens dressée, sus à l'ennemi; si je la rabaisse, fuyez!»
Dès que les deux armées furent en présence, le malin roitelet attrapa un frelon et le déposa sous la queue du

royaux chats et qu'aucun musicien ne peut supporter d'avoir les oreilles ainsi écorchées!

— Seigneur Estadrata, vous me la baillez belle, quand un dragon à dix têtes a choisi notre royaume comme résidence!

— Un dragon! répéta le Chef de la Fanfare. A dix têtes! Quelle chance!»
Et Estadrata réunit tous les instruments de musique et se précipita vers la caverne du dragon :
«Ceci est un tambour, ceci un basson, voilà la clarinette, la bombarde et le picolo. Joue, dragon!»
Le Chef de la Fanfare leva sa baguette de chef d'orchestre et l'affreux dragon se mit à jouer comme un véritable orchestre.

21 AVRIL

Le grain de mil

Il était une fois un jeune homme bien pauvre. Ses parents ne lui avaient laissé pour tout héritage qu'un grain de mil. Et le garçon s'en fut à l'aventure. Le soir venu, il frappa à la porte d'une ferme. Avant de se coucher, il déposa son grain sur le seuil, disant :
«C'est mon seul bien, j'espère que personne ne viendra me le prendre!

— Dors tranquille», lui dit le fermier.
Mais un coq becqueta le grain de mil. Le fermier dit :
«Notre coq a mangé ton grain de mil. Mais prends le coq en échange.»
Le soir, le garçon demanda asile dans une autre ferme. Comme il s'inquiétait pour son coq, le fermier lui dit :
«Tu n'as rien à craindre chez nous.»
Mais un cochon croqua le coq!
«Hé bien, dit le fermier, prends le cochon à la place de ton coq.»
Le jeune homme partit, tirant le cochon au bout d'une corde. Il passa la nuit dans une autre ferme où une vache encorna le cochon.
«Je ne voudrais pas te causer du tort, mon enfant, dit le fermier. Prends la vache à la place de ton cochon.»
Le jeune homme partit avec sa vache. Mais un cheval, pendant la nuit, piétina à mort sa pauvre vache.
«Prends ce cheval en dédommagement», proposa le fermier à qui appartenait cette monture.
Comblé, le jeune homme sauta en selle et s'en fut au palais. Et le pauvre jeune homme devint roi!

22 AVRIL

Le paysan pauvre et le chat du moulin

Il y avait une fois un chat qui vivait dans un vieux moulin. Il pensait qu'il en était le maître. Un jour, un paysan s'en vint au moulin, le chat cracha :
«Dehors! Ce moulin est à moi!»
Le paysan lui fit une proposition :
Si tu veux, échangeons nos biens : prends ces lunettes magiques, elles

violettes. Ils souhaitaient un enfant mais en vain. Un soir, on frappa à la porte et entra une petite créature vêtue d'un habit de feuilles. Elle portait sur la tête une couronne de violettes et quand elle se dressait sur la pointe des pieds, elle n'était pas plus haute que la flamme de la chandelle. Elle fit la révérence et dit :

«Je suis Violette, la petite dame des prés. Notre reine m'envoie chez vous pour que vous me preniez en pension.

font voir toutes choses deux fois plus grandes.»

Le chat chaussa les lunettes et une souris doubla de taille.

«Ça me va, dit-il. Le moulin est à toi.»

Il prit les lunettes et s'en fut. En route, il rencontra un loup qui lui cria :

«Je vais te manger!»

Mais le chat, pas du tout effrayé, lui posa les lunettes sur le nez, disant :

«Tu ne m'as pas bien regardé!»

En effet, au premier regard à travers les lunettes, le loup s'enfuit. Le chat retourna au moulin et ordonna au paysan de lui rendre son bien:

«Regarde-moi bien!»

Et il chaussa les lunettes au paysan qui en rit, lui donnant du bâton :

«Voilà pour ta bêtise! Et voilà pour ta vanité!»

Ainsi le chat se retrouva sans moulin ... et sans lunettes!

23 AVRIL

La petite Violette et les fleurs de givre

Il y avait une fois un bûcheron qui habitait avec sa femme dans le bois aux

Ce n'est pas la peine de me donner à manger, il faudra seulement m'arroser régulièrement.»

Le bûcheron et sa femme en furent bien contents et arrosèrent leur pensionnaire qui était devenue une belle petite fille. Vint l'automne et la petite dame des prés s'étiola. Un matin, elle dit tristement :

«Mes sœurs les fleurs se sont fanées depuis longtemps. Elles me manquent cruellement. Et ce regret me fera mourir!»

Mais un soir vint à passer le Bonhomme Hiver : il souffla sur la vitre et son souffle y dessina de gracieuses fleurs de givre. Quand, au matin, la petite Violette les aperçut, elle se mit à sourire et, dès ce moment, sa santé se rétablit. Un jour, sur la vitre, les fleurs s'effacèrent, mais se montrèrent les premiers perce-neige et la petite Violette redevint tout à fait bien portante.

24 AVRIL

Le petit oiseau qui voulait être roi

Un oiseleur suspendit à un arbre une cage vide. Elle était tout en or et avait ses portes ouvertes. Dans un coin de la cage, s'offrait une mangeoire bien pourvue, surmontée d'un perchoir

tout en or lui aussi. Vinrent à passer deux oiselets, le premier se nommait Fou-d'orgueil et le second Vagabond. Fou-d'orgueil s'écria :
«Voyez donc! Un palais d'or! Et ce festin! C'est un palais royal, je vais m'y installer et je serai roi!»
Vagabond répondit :
«Ne te laisse pas prendre à ces apparences. Un simple nid de feuilles nous convient mieux. Le plus grand bien, c'est la liberté et l'azur des cieux.»
Mais Fou-d'orgueil se jeta dans la cage ouverte dont l'oiseleur referma sur lui les portes. Depuis ce jour, il se balance sur son perchoir, regarde tristement ses frères restés libres et pépie d'une voix mélancolique :
«Je suis le roi! Je suis le roi!»

25 AVRIL

Sa Majesté l'âne

Le vieux lion vint à mourir et ses sujets se rassemblèrent pour élire un nouveau souverain. Un vieil âne passait par là qui leur dit :
«Pourquoi donc élisez-vous un roi de votre race? Qu'est-ce donc qu'un souverain qui ne surpasse pas tout le monde en esprit et en beauté? Regardez un peu ma personne! Mes pieds ont des sabots et je porte sur le front

deux belles oreilles d'âne. Suivez mon conseil et faites de moi votre roi!»
Les lions se concertèrent et se dirent que le vieil âne était sans doute dans le vrai. Ils l'élirent donc roi. Sitôt qu'il eut pris place sur le trône, l'âne se mit à légiférer. Il enjoignit aux lions de manger de l'herbe et des chardons, de braire et, en tout, de se conduire comme des ânes. Un jour cependant un jeune lion se révolta et cria :
«C'est du sang de lion qui coule dans mes veines, âne stupide!»
Et, avec un affreux rugissement, il se jeta sur l'âne qu'il dévora.

26 AVRIL

La lumière bleue

Il y avait une fois un pauvre soldat qui s'était usé au service de son roi. Quand la guerre fut finie, le souverain

licencia le soldat sans même un mot de remerciement. Ses poches étaient aussi vides que son estomac. Il partit à l'aventure. Un jour, il s'arrêta dans une chaumière où habitait une vieille sorcière. Le soldat implora de la vieille une assiette de soupe et l'asile pour la nuit. Elle grogna :
«Ne t'imagine pas que je vais te nourrir pour rien! Bêche mon jardin et coupe-moi du bois.»
Le soldat travailla pendant deux jours. Quand il eut fini, la vieille lui dit :
«Je veux bien te garder si tu fais encore une chose pour moi. Descends dans le vieux puits derrière la maison et remonte-moi mon quinquet; il brûle avec une flamme bleue et jamais ne s'éteint.»
Le soldat accepta; dès l'aurore, il descendit dans le puits et sur le fond ramassa le quinquet. Puis il cria à la vieille de le remonter. La vieille lui réclama alors le quinquet. Mais le soldat n'obéit point. La sorcière se mit en colère et le repoussa dans le puits.

27 AVRIL

La lumière bleue

Le soldat tomba au fond et miracle, le quinquet bleu ne s'était pas éteint! Mais il ne pouvait pas vivre au fond d'un puits et l'idée lui vint qu'il pourrait bien, avant de mourir, fumer pour la dernière fois. Il saisit le quinquet pour allumer sa pipe et alors surgit un nain qui s'inclina, disant :
«Que désires-tu, mon maître? Mon devoir est d'exécuter tous tes ordres.
— Si c'est comme ça, répondit le soldat, sors-moi de là au plus vite et

trouve-moi un peu d'argent.»
A peine avait-il prononcé ces mots qu'il se trouva hors du puits. Et l'étrange nain lui indiqua l'endroit où la vieille avait enfoui ses trésors, quand la sorcière surgit, montée sur un chat noir. Mais le soldat ordonna au nain d'attacher la méchante vieille et de la mener au tribunal. Le nain disparut avec la sorcière et revint disant :
«J'ai fait ce que tu m'avais ordonné : la sorcière a été jetée en prison.»

28 AVRIL

La lumière bleue

Le soldat vivait maintenant comme un

84

seigneur. Il avait de l'argent plein les poches. Il alluma sa pipe au qinquet bleu et fit venir le nain qui demanda : «Qu'ordonnes-tu?

— Ce soir, quand la fille du roi se sera couchée, amène-la moi ici. Elle devra faire auprès de moi office de servante. Ce sera ma vengeance pour les mauvaises façons du roi à mon égard après tant d'années de loyaux services!»

Et il en fut ainsi.

«Holà! cria le soldat à la princesse, balaie-moi proprement le plancher et astique-le!»

La princesse, toujours endormie, obéit. Au premier chant du coq, le nain reconduisit la princesse au château.

«Quel rêve étrange j'ai fait», soupira-t-elle en s'éveillant.

Elle raconta au roi avoir rêvé qu'elle était la servante d'un soldat inconnu. Le roi regarda ses mains et les vit noircies et gercées.

La lumière bleue

Le soir venu, la princesse se retira et le lendemain, elle se réveilla encore toute courbatue mais on ne découvrit pas la retraite du soldat. Le roi ordonna à sa fille :

«Si, cette nuit, tu te retrouves encore dans la maison de ce misérable à lui tenir lieu de servante, cache un de tes souliers sous son lit.»

La princesse obéit et, le jour suivant, le roi fit fouiller toutes les maisons. Les gardes trouvèrent le soulier de la princesse là où elle l'avait laissé. Ils traînèrent le malheureux soldat en prison. Il était déjà condamné et il implora le roi de le laisser, avant de mourir, fumer pour la dernière fois sa bonne vieille pipe. Le roi y consentit. Le soldat l'alluma au quinquet bleu et, aussitôt, le nain fut là et, armé d'un bon gourdin, se jeta sur les juges du tribunal. Le roi eut si peur de subir le même sort, qu'il préféra donner sa fille en mariage au pauvre soldat.

Pourquoi les chats attrapent les souris

Grand-père avait un chat qui lui raconta l'histoire que voici : jadis, le roi des chats déclara la guerre aux chiens. Les combats durèrent mille ans et, comme personne ne pouvait se dire vainqueur, ils décidèrent de faire la paix. Ils inscrivirent les termes d'un traité d'après lequel plus jamais chats et chiens ne devaient s'attaquer. Le roi des chats sortit des griffes et, pour signer, érafla le parchemin ; le roi des chiens y apposa sa patte, à la mode des chiens. Puis ce glorieux traité, ils le cachèrent dans un sac d'avoine au grenier. Mais un jour arriva un chien errant qui ignorait que les chiens eussent conclu un traité de paix avec les chats et, au premier matou qu'il aperçut, il montra les crocs.

«Ne sais-tu pas, chien stupide, que nous avons conclu une paix éternelle? cracha le chat.
— Montre-moi le parchemin!» répondit le chien incrédule.
Le chat grimpa au grenier mais, hélas! les souris avaient dévoré l'avoine du sac et le traité avec. Le chien cria : «Attends un peu, sale menteur!»
Et il se jeta sur le chat. Depuis ce jour, les chats attrappent les souris parce qu'elles leur ont mangé leur traité de paix.

MAI

1ᵉʳ MAI

La grenouille qui devint tsarine

Il était une fois un tsar qui avait trois fils. Un jour, il leur tint ce discours : «Sur les murs de la salle d'armes, vous trouverez un mousquet, une arbalète et un arc. Que chacun de vous choisisse son arme. La jeune fille aux pieds de laquelle viendra tomber votre projectile, sera votre fiancée.» Les tsarévitchs promirent à leur père d'exécuter ses volontés. L'aîné arma son mousquet d'une balle qui roula aux pieds de la fille d'un riche propriétaire. Le deuxième tira un trait qui alla cogner à la fenêtre de la fille d'un prince. Vint le tour du plus jeune, le tsarévitch Ivan. Il banda son arc et sa flèche s'envola si haut qu'elle disparut derrière les nuées. Le jeune homme partit à sa recherche. Il arriva auprès d'un marécage où se tenait une grenouille qui avait en bouche la flèche. Le tsarévitch Ivan tenta de s'enfuir, mais la grenouille coassa :

«Veux-tu donc bafouer la volonté de ton père, tsarévitch Ivan?»
Ivan enveloppa la grenouille dans son mouchoir de batiste et s'en retourna au palais de son père.

2 MAI

La grenouille qui devint tsarine

Quand le tsarévitch Ivan parut au palais avec sa fiancée-grenouille, il fut la risée de tous qui lui crièrent : «Jette cet horrible monstre!»
Ivan se sentit ému de pitié et dit : «Ne plaise à Dieu que le fils du tsar trahisse la parole donnée!»
Et il épousa sa grenouille. Le tsar fit à nouveau appeler ses fils et leur dit : «Je veux voir si mes brus sont bonnes ménagères. Qu'elles me cuisent pour demain une miche de pain blanc!»
Ivan répéta tristement l'ordre de son

père à sa grenouille mais elle sourit : «Ne te soucie point, mon cher époux!» Puis elle pétrit la pâte et la versa dans le feu. Cela fut observé par une servante que les autres brus avaient envoyée en secret pour voir comment la grenouille s'y prenait. Les deux femmes agirent de même et obtinrent deux galettes noires comme des bottes. Cependant la grenouille prit son tambour, battit la charge et, de partout, se pressèrent des grenouilles vertes qui confectionnèrent un pain plus blanc que neige.

3 MAI

La grenouille qui devint tsarine

Le tsar complimenta la grenouille et jeta les deux galettes noires. Puis il ordonna à ses fils que leur femme lui tissent pour le lendemain un tapis de soie. La grenouille sourit, prit un écheveau de soie et le jeta par la fenêtre sur la prairie. Quand les femmes des

deux frères aînés l'apprirent, elles agirent de même. Mais le vent emmêla la soie, et quand elles voulurent la tisser, leur tapis faisait honte à voir. Mais le tapis de la grenouille brillait de perles et de diamants. Le tsar n'en put détacher les yeux. Puis il dit :
«Demain, nous aurons grande assemblée. Je désire que les épouses de mes fils y dansent avec les invités.»
A ces paroles, Ivan se sentit triste mais sa grenouille le tranquillisa :
«Ne sois pas en souci, tsarévitch Ivan. Demain, va au palais et attends-moi.»
Le tsarévitch obéit. A peine s'était-il assis à sa place qu'un carrosse d'or

parut à la porte. Il en descendit une jeune fille si belle que toute la société en fut éperdue de surprise.
«Je suis la femme du tsarévitch Ivan», déclara-t-elle d'une voix argentine.

4 MAI

La grenouille qui devint tsarine

Tous se réjouirent mais Ivan alla à sa chambre et, trouvant la peau de grenouille, la jeta au feu.
«Malheur à toi, Ivan! Si tu avais patienté jusqu'à demain, j'aurais été

à toi pour toujours. Mais maintenant je dois retourner au palais de l'enchanteur Kostia l'Immortel!»

Le carrosse disparut. Le tsarévitch se précipita à sa poursuite. Son galop le mena à une forêt où une étrange chaumière tournait sur une patte de poule. A la fenêtre, la sorcière Baba Yaga cria :

«Nourris mes serviteurs, l'ours, l'aigle et le brochet!»

Le tsarévitch s'arracha de la cuisse de la chair qu'il lança aux animaux.

«Tu as bien agi, dit Baba Yaga, et tu mérites récompense. Auprès d'ici, dans un chêne, il y a un coffre d'or; dans le coffre, un canard d'or; dans le canard, un œuf d'or. Cet œuf d'or recèle une aiguille rouillée. Si tu en brises la pointe, Kostia l'Immortel expirera et tu retrouveras pour toujours ton épouse bien-aimée.»

Le tsarévitch Ivan bientôt atteignit le grand chêne. Alors surgit un ours énorme qui déracina le chêne, le coffre d'or tomba à terre et le canard d'or s'en échappa et jeta l'œuf d'or dans un lac profond. Des eaux sortit un brochet qui tendit l'œuf d'or au tsarévitch qui prit l'aiguille rouillée dont il cassa la pointe. On entendit un bruit et le tsarévitch vit apparaître sa ravissante épouse. Ils retournèrent ensemble au palais du tsar.

5 MAI

Les trois jeunes gens et le géant

Trois jeunes gens décidèrent de s'engager dans l'armée. Ils se mirent à l'alignement et avancèrent. Une, deux . . . Une! Ils arrivèrent sur la rive d'un lac. Sur l'île, au milieu du lac, se dressait une bâtisse. Un géant regardait par la fenêtre. Les trois jeunes gens lui firent le salut militaire et marchèrent plus avant. Ils trouvèrent un camp militaire et firent leur rapport au capitaine :

«Monsieur le Capitaine, nous voulons nous engager!

— Pour entrer dans l'armée, il faut n'avoir peur de rien. Que l'un de vous m'apporte le miroir du géant.»

Le plus petit des trois se porta volontaire, il fit un demi-tour à droite . . . et, une, deux, une, deux, se dirigea droit vers la maison du géant. Arrivé au bord du lac, il prit un bateau, entra dans la maison et se cacha dans la cheminée. La nuit venue, il sortit sans bruit, prit le miroir et le rapporta au capitaine qui lui fit revêtir l'uniforme.

Les trois jeunes gens et le géant

Le lendemain, le deuxième garçon se présenta au rapport et le capitaine lui commanda d'aller voler le drap de lit du géant. Le jeune homme se porta vers la maison du géant. Il se cacha dans la cheminée et la nuit venue, s'approcha du lit et vola le drap. Il fut nommé premier lieutenant. Le capitaine dit ensuite au troisième de nos héros :

«Si tu voles le géant et que tu me l'apportes ici, je te nommerai capitaine!»
Le jeune homme se porta vers la maison du géant. En chemin, il se munit d'un clairon. Comme il voguait vers l'île, il vit le géant assis sur un rocher. Le jeune homme sonna de son clairon et cria :

«Le jour du jugement est proche. Je viens te faire un cercueil pour que tu saches où mettre ta dépouille après ta mort.»

Le géant accepta l'offre. Il aida même le garçon à abattre un tilleul et à confectionner le cercueil. Quand la caisse fut finie, le jeune homme lui dit :
«Il faut que tu l'essayes, géant, pour voir si c'est assez grand.»
Le garçon ajusta bien vite le couvercle

qu'il cloua solidement. Il emporta le tout, cercueil et géant, au capitaine. «Sur mon âme, je n'ai jamais rencontré gaillard pareil!» s'exclama celui-ci. Et il tint sa promesse.

Le stoïque soldat de plomb

Il était une fois un enfant auquel le Père Noël apporta une boîte de soldats de plomb. Il y en avait vingt-cinq

qui se ressemblaient comme vingt-cinq gouttes d'eau. Pourtant, il y en avait un qui n'était pas tout à fait comme les autres : il n'avait qu'une jambe. Le garçon s'amusait très bien avec ses soldats. Il y avait d'autres jouets sur sa table. Le plus joli était un château de papier entouré d'arbres de papier; de petits miroirs représentaient des lacs sur lesquels nageaient des cygnes en cire. Mais le plus charmant c'était une petite danseuse de papier qui se tenait à la porte du château. Elle avait les deux bras arrondis au-dessus de la tête et levait une jambe si haut que le petit soldat pensa qu'elle était comme lui unijambiste et se dit :

«Je la prendrais bien pour femme. Mais c'est une fille de seigneur, elle habite dans un château et pas dans une boîte en carton.»

8 MAI

Le stoïque soldat de plomb

Quand vint le soir, les soldats de plomb rentrèrent dans leur boîte et le

soldat unijambiste avec la danseuse restèrent en place. Et, tout à coup, sortit un affreux nain. Il vit comme le soldat de plomb regardait doucement la danseuse et se moqua de lui :
«Hé! soldat de plomb, ne fais pas des yeux comme ça! Tu verras demain, effronté!»
Et sa sinistre prédiction se réalisa. Le matin, les enfants déposèrent le soldat unijambiste sur la fenêtre. La fenêtre s'ouvrit — et le malheureux tomba dans la rue, la tête la première. Le soldat y cassa son bonnet à poil et un bout de sa baïonnette! Il se mit à pleuvoir et un gros ruisseau s'enfla au milieu de la rue. Alors surgirent deux gamins, ils se saisirent du soldat de plomb, le mirent dans un bateau de papier et le jetèrent dans le courant. Le bateau tanguait comme sur les vagues de l'océan. Le soldat de plomb se tenait ferme, bien droit sur son unique jambe, et serrait plus fort son fusil.

9 MAI

Le stoïque soldat de plomb

Le soldat de plomb filait sur son bateau qui s'engagea tout à coup dans un canal. Il y faisait nuit et tout à coup, arriva un gros rat qui montra les dents en criant :
«Tu n'as pas payé la redevance pour circuler dans mon canal!»
Le soldat de plomb pensa qu'un rat si grossier n'avait pas d'ordre à lui donner. Il serra encore plus fort son fusil et resta bien droit sur son unique jambe, gardant un visage impassible.
«Attrapez-le! Attrapez-le!» criait le rat. Mais le courant se précipita et le petit

Le stoïque soldat de plomb

Dans le ventre du poisson, les ténèbres étaient épaisses, mais le soldat gisait et ne disait mot. Tout à coup, une voix cria :
«Regardez! Un soldat de plomb!»
Des gens avaient attrapé le poisson, l'avaient porté dans la cuisine et une servante lui avait ouvert le ventre. Elle prit le petit soldat et le remit à la place où il était la veille! C'étaient les

soldat se retrouva à la lumière. Il se réjouissait déjà d'être sauf mais le bateau se retourna, pris dans un tourbillon et rebondit dans une immense chute d'eau.
Et il resta tout droit sur son unique jambe, même quand le bateau plongea dans les trous du courant furieux.
Il pensait :
«Que devient ma chère danseuse!»
Le bateau se déchira, le soldat fut précipité à l'eau et un poisson l'avala.

mêmes jouets, les mêmes enfants et, finalement, le même château de papier et la même gracieuse danseuse!
Elle se tenait toujours sur la pointe d'un seul pied, élevant l'autre bien haut et souriant gentiment au petit soldat de plomb.
Tout à coup, un des enfants jeta le pe-

tit soldat dans le feu. Il sentit une chaleur insupportable, ses couleurs craquèrent et son petit corps de plomb fondit comme neige au soleil. Mais il garda tout son courage, ses armes à la main, et jeta un triste regard à sa chère danseuse. Alors un courant d'air emporta la danseuse qui s'envola et s'alla poser sur le poêle à côté du petit soldat de plomb. Quand la servante vida les cendres, le lendemain matin, il ne restait plus du stoïque petit soldat que son cœur de plomb et de la petite danseuse que l'étoile qu'elle portait dans les cheveux.

11 MAI

Le chasseur
et la princesse-cygne

Il était une fois un jeune chasseur qui parvint aux bords d'un lac inconnu. A ce moment, arrivèrent trois cygnes blancs qui ôtèrent leur habit de plumes et, devant les yeux étonnés du chasseur, se dressèrent trois merveilleuses jeunes filles. Elles se précipitèrent à l'eau. Le jeune homme s'empara de la parure de plumes de la plus jeune qui était la plus belle et se cacha dans les buissons. Ensuite, les jeunes filles voulurent reprendre leur apparence de cygne mais la plus jeune ne put retrouver ses plumes. Elle se mit à pleurer. A ce moment, le jeune chasseur lui dit :

«Ne pleure pas, belle jeune fille! Tu me plais et je veux t'épouser.»
Et il amena la jeune fille chez sa mère. Il enferma la parure de plumes dans un coffre et cacha le coffre au grenier. La jeune fille-cygne se prit à aimer son ravisseur et on célébra leurs noces. Quelque temps après, la jeune femme eut besoin de quelque chose au grenier et, dans un vieux coffre trouva ses habits de cygne. Elle s'en revêtit, s'envola vers les cieux et cria : «Mon époux bien-aimé, si tu veux me rejoindre, cherche-moi dans les monts de cristal. Un sortilège m'oblige à y retourner!»

12 MAI

Le chasseur
et la princesse-cygne

Le malheureux chasseur prit son sac

94

et s'en fut à la recherche de sa femme. Après une longue route, il parvint sur un plateau désert où vivaient trois frères ermites. Le chasseur s'arrêta chez le premier vieillard et lui demanda la route qui menait aux monts de cristal.

«Je n'ai jamais entendu parler de ces monts, mais demande à mon frère aîné», répondit l'ermite.

Le deuxième ermite n'en savait pas plus et il envoya le chasseur au plus vieux des trois. Il lui donna, comme l'avait fait le premier, le fragment d'une pièce d'or. Quand le chasseur sentait ses forces l'abandonner, il serrait dans sa main les fragments de pièce d'or jusqu'à ce qu'elles revinssent. Un jour, il vit, dans les buissons qui bordaient la route, le cadavre d'un bœuf. Un lion et une hyène, un aigle et une fourmi discutaient pour savoir comment partager leur proie.

«Cela serait bien sot de se quereller, leur dit le jeune chasseur. A toi, hyène, les os et la graisse. A toi, aigle, les entrailles. A toi, lion, qui as une gueule puissante, revient la viande. Et toi, petite fourmi? Tu auras la tête.»

13 MAI

Le chasseur et la princesse-cygne

Les animaux dirent au jeune chasseur :

«Nous sommes satisfaits de tes conseils et tu mérites une récompense.»
Le lion et l'hyène donnèrent au jeune chasseur chacun un poil de leur fourrure. L'aigle lui offrit une plume de ses ailes et la fourmi une de ses petites pattes qu'elle avait cassée :

95

«Quand tu prendras dans ta main l'un de nos présents, tu te changeras immédiatement en l'un d'entre nous.» Le chasseur reprit sa route et arriva enfin à la demeure du plus âgé des ermites. Il lui montra les deux morceaux de pièce d'or et l'ermite lui dit :
«Je suis heureux d'apprendre que mes deux frères sont toujours en vie. Pour te remercier de cette bonne nouvelle, je suis tout prêt à t'aider.» Et il enseigna au chasseur le chemin des monts de cristal. Le jeune homme traversa un autre désert et aperçut des sommets étincelants. Il prit sa plume d'aigle. Il fut changé en aigle et s'éleva dans les cieux. Au sommet des monts, il vit un tout petit trou. Il prit sa patte de fourmi et put s'introduire, changé en fourmi, dans les monts de cristal. A l'intérieur, tout était de cristal. Près de la fenêtre, le vieux roi semblait une statue de cristal comme ses filles. La plus jeune, la femme du chasseur, se tenait assise sur un trône de cristal.

14·MAI

Le chasseur et la princesse-cygne

Notre petite fourmi entendit :
«Père, qui viendra nous délivrer?» C'étaient les princesses de cristal. Le roi répondit, s'adressant à sa fille la plus jeune :
«Nous devons attendre quelqu'un que nous ne verrons pas mais qui suivra mes conseils. Il lui faudra combattre le dragon à douze têtes. De sa dernière tête, s'échappera un lièvre. S'il tue le lièvre, il s'en envolera un pi-

geon. Ce pigeon a dans la tête une petite pierre que notre libérateur jettera par un trou dans les monts de cristal.» Dès que la fourmi eut entendu ces paroles, elle sortit du mont de cristal, se changea en aigle et vola vers l'antre du dragon. Arrivé là, l'aigle se transforma en un terrible lion. Trois jours et trois nuits, il se battit contre le dragon à douze têtes et, à la fin, lui trancha la dernière. Un lièvre s'en échappa mais le lion se changea en hyène et le dévora. De la tête du lièvre, s'envola un pigeon blanc. Alors l'hyène redevint un aigle, et lui extirpa de la tête la petite pierre qu'il jeta par un trou dans le mont de cristal. On entendit un fracas.

Les monts éclatèrent, libérant le vieux roi et ses filles. Ainsi le jeune chasseur retrouva son épouse bien-aimée.

15 MAI

Le plus fort des petits oiseaux

Il était une fois une maman oiseau qui avait six petits oisillons. Ils se vantaient tout le temps d'être les plus forts de tous les oiseaux. Un matin, la maman oiseau vit dans l'herbe un grand ver à demi sorti de terre. Elle le saisit avec son bec et tira; elle tira, tira, mais ne put extirper le ver. L'aîné des oisillons lui cria :
«Attends, maman, je vais t'aider! Ne suis-je pas le plus fort?»
Ils tirèrent, tirèrent mais en vain. Sur quoi, le second oisillon :
«Attends, maman! Je vais t'aider. Je suis le plus fort de mes frères!»
Ils tirèrent, tirèrent, mais n'extirpèrent pas le ver. Alors le troisième oisillon, puis le quatrième, puis le cinquième s'essayèrent. Ils tirèrent, tirèrent, mais n'extirpèrent pas le ver. Alors, le sixième se joignit aux autres :
«Attendez un peu que je m'y mette!»
Ils tirèrent et n'extirpèrent pas le ver. Alors survint une petite souris qui attrapa le plus jeune des oisillons par la queue. Elle s'agrippa aux plumes et tous tirèrent et extirpèrent le ver . . .
«Je suis le plus fort de tous les petits oiseaux!» crièrent les oisillons.

16 MAI

Le lutin de l'écrin

Dans un vieil écrin vivait une fois un lutin qui était en même temps sorcier. Il possédait un miroir magique. Quand il le mettait devant une personne, le miroir l'absorbait et ne la rendait plus. Combien de gens et de choses ce miroir magique avait ainsi emprisonnés! Il y avait Sa Majesté le Roi, la princesse, l'Oiseau de Feu et le soleil bleu . . . Un jour, une petite dame de cristal trouva l'écrin. A peine l'eut-elle ouvert qu'en surgit le méchant lutin, braquant sur elle le miroir magique. Mais la petite personne étant de cristal et transparente, elle était invisible. Elle regarda dans le miroir et s'écria : Oh! que de beaux portraits!
Elle étendit la main et libéra ceux que le miroir avait emprisonnés. Le lutin, en colère, se tourna vers le miroir qui l'absorba. Il ne resta plus de lui que son image.

97

17 MAI
Peau d'ours

Au temps où les fleuves escaladaient les montagnes, il y avait un soldat libéré qui vagabondait de par le monde. Un jour, il se reposait à l'ombre d'un gros chêne. Tout à coup, il entendit un petit bruit dans le feuillage et un gland tomba à ses pieds. A peine avait-t-il touché terre qu'il s'ouvrit et qu'en sortit un tout petit bonhomme bien étrange. Il portait une souquenille verte, avait un pied fourchu . . . Le soldat dit :
«Bonjour! Qu'est-ce que le diable nous amène là?

— Sache, répondit le lutin, d'une voix grinçante, que je suis moi-même un diable!

— Mes respects, reprit le soldat. Que puis-je pour ton service?

— Joli service que tu pourrais me rendre! C'est plutôt moi qui pourrais t'être utile. Mais il faut que tu montres que tu as du courage! Regarde derrière toi!»

Le soldat jeta un regard par-dessus son épaule et vit un ours gigantesque!

Sans se départir de son calme, il épaula son fusil, tira et l'étendit raide mort.

«Je vois que tu es un homme courageux, dit le diable. Reviens demain sous ce chêne et nous signerons un pacte.»

18 MAI
Peau d'ours

Le lendemain le soldat vint reprendre place sous le chêne. Aussitôt, un gland tomba et il s'en échappa le petit homme vert. Il dit au soldat :
«Tu m'as donc obéi. Je vais te donner ma souquenille verte. Quand tu y fouilleras dans les poches, tu trouveras toujours une bonne poignée d'écus. Mais, en contrepartie, tu dois garder pendant sept ans le même habit. Tu ne dois ni te laver, ni te couper les cheveux, ni te raser. Et tu dois porter comme manteau la peau de l'ours que tu as tué. Si tu tiens ainsi pendant sept ans, tu pourras ensuite faire tout ce que tu voudras. Sinon, tu iras en enfer!»
Le soldat revêtit la souquenille verte, dépouilla l'ours et s'en mit la peau sur

le dos. Il fouilla dans la poche du vêtement diabolique, en sortit une pleine poignée de bons écus et s'écria : «La vie est belle!»

Mais il ne s'écoula pas une année avant que le soldat n'eût plus apparence humaine! Pas lavé, les cheveux et la barbe longs, les ongles des pieds et des mains devenus des griffes, c'était un monstre! Mais à quoi bon être riche quand tout le monde vous crie :

«Au large, Peau d'ours! Et ne remets plus les pieds ici!»

19 MAI

Peau d'ours

Il y avait déjà trois ans que le malheureux errait ainsi. Un soir, il frappa à la porte d'une chaumière. Un paysan vint ouvrir. Le soldat lui demanda asile pour la nuit. Le paysan gémit :
«Mon pauvre homme, chez nous, il n'y a pas de feu et rien à se mettre sous la dent. Et le pire c'est que je dois demain matin payer mes dettes au bailli, sinon il me fera mettre en prison. Mais si tu veux bien coucher par terre, sois le bienvenu chez nous! J'ai l'impression que tu es encore plus malheureux que moi!»
Le soldat remercia et se coucha. Le lendemain matin, il fouilla dans sa poche et tendit au paysan une pleine poignée de pièces d'or.
Le paysan n'en croyait pas ses yeux!

Revenu de sa surprise, il déclara : «Cette dette-là, je veux te la payer! Je te donnerai pour femme celle de mes trois filles qui voudra bien te prendre.

20 MAI

Peau d'ours

Les deux filles aînées du paysan faillirent s'évanouir de terreur quand elles virent ce monstre. Mais la plus jeune eut pitié du malheureux et promit de lui accorder sa main. Le soldat rompit en deux un anneau d'argent et tendit un morceau à la jeune fille en disant : «Il me faut encore courir l'aventure. Promets seulement de prendre pour époux celui qui, dans quatre ans, te présentera la deuxième moitié de cet anneau.»
Il parcourut le monde, menant encore plus détestable vie, mais enfin les sept longues années s'écoulèrent et il retourna sous le vieux chêne. Le gland tomba, le petit homme vert en sortit qui déclara :
«Tu as gagné, soldat! Et je dois en-

core remplir un de tes souhaits.»
Le soldat, en riant, ordonna au diable de le laver, de lui tailler le poil et de le coiffer. Quand le soldat fut redevenu un beau jeune homme, il retourna chez sa bien-aimée. En route, il s'acheta de riches habits et il frappa à la porte de la chaumière. Dès qu'il eut montré sa moitié d'anneau, la fidèle jeune fille lui sauta au cou.

21 MAI

L'éléphant oublieux

Il était une fois un éléphant dans les profondeurs de la jungle. Il était tellement oublieux que, le matin, il oubliait de se lever, le soir de s'aller coucher. Les singes se moquaient de lui et cela mettait l'éléphant hors de lui. Il puisait de l'eau plein sa trompe et arrosait la gent tracassière. Les singes décidèrent d'en tirer vengeance. Un vieux mâle eut une idée et cria :

«Écoute, petit frère éléphant, pourquoi ne fais-tu pas un nœud à ta trompe pour te souvenir de ce que tu ne dois pas oublier?»
L'éléphant demanda au singe de l'aider à nouer sa trompe. Mais, dès qu'il eut la trompe nouée, les singes bombardèrent le pauvre animal de noix de coco, criant :
«Petit frère éléphant, pourquoi as-tu fait un noeud à ta trompe?
— Ah! répondit l'éléphant, j'ai oublié!»
Les singes le prirent en pitié et lui dénouèrent la trompe.
«Mais il faut nous promettre que tu ne nous arroseras plus!
— Ah! ça, je vous le promets bien volontiers!» jura l'éléphant.
Puis il puisa de l'eau plein sa trompe et les arrosa à leur en faire perdre la respiration. Il avait oublié la promesse qu'il venait de faire.

22 MAI

Les deux pêcheurs

Il était une fois un pauvre pêcheur. Du matin au soir, il traînait ses filets mais jamais un poisson ne s'y prenait.

Un soir, il vit une petite flamme qui dansait sur l'eau. Il se redressa et se sauva vers sa hutte. Mais une voix retentit derrière lui :

«Ne t'enfuis pas, pêcheur!»

Le jeune homme se retourna et vit une étrange créature qui étendait les mains comme un aveugle :

«André, dit l'inconnu, je sais comme tu souffres. Si tu veux je puis venir à ton aide. Prends cet anneau de cuivre et reviens demain à minuit. Tu trouveras trois pots fermés. Ouvre celui du milieu et ainsi tu libèreras l'âme d'un noyé. N'en parle surtout à personne et tu verras qu'il n'en résultera pour toi que du bien.»

Mais le pêcheur rentra chez lui.

23 MAI

Les deux pêcheurs

A peine le pêcheur s'était-il étendu sur sa couche qu'il se sentit malade et cela toute l'année durant. Il ne lui restait plus qu'à prendre le bâton du mendiant et il retourna s'asseoir sur le rivage, accablé par son déplorable sort. Tout à coup, il vit la petite flamme sur les flots. Et de la petite flamme, se dégagea l'étrange créature qu'il avait déjà vue, qui lui dit :

«Voilà un an que nous ne nous sommes pas rencontrés, André! N'as-tu pas changé d'avis?»

Le pêcheur se dit qu'il ne mènerait pas plus misérable vie en enfer et promit de revenir le lendemain. L'inconnu lui passa son anneau au doigt, et replongea dans la mer. Le lendemain, à minuit, le pêcheur était sur le rivage et vit au loin sur les flots la flamme mystérieuse. Il s'y dirigea croyant qu'il lui faudrait nager mais la terre ne manqua jamais sous ses pieds et il se trouva, à sa grande surprise, dans une belle prairie. De joyeux moissonneurs maniaient la faux en chantant pour se donner du cœur. Le pêcheur reconnut en eux des gens du voisinage qui avaient péri en mer. Il vit aussi une agréable chaumière; depuis le seuil, une charmante femme lui faisait signe. Mais il s'éloigna, trouva les trois pots fermés et de celui du milieu libéra l'âme d'un noyé. A ce moment, tous les moissonneurs se précipitèrent sur lui avec des cris et des imprécations. Le pêcheur, terrorisé, perdit connaissance. Quand il revint à lui, il était étendu sur le rivage ; son corps était couvert d'écailles, mais d'écailles d'or. De ce jour, il ne connut plus jamais la misère!

24 MAI

Les deux pêcheurs

La nouvelle de la subite richesse du pêcheur se répandit sur toute la côte. Elle vint aux oreilles d'un autre pêcheur qui se nommait Pierre. C'était un fainéant et un jour, des voisins vinrent à l'auberge lui rapporter que sa femme s'était noyée :
«Dieu me l'a donnée, Dieu me l'a re-

prise, se dit Pierre. S'il me poussait des écailles d'or comme au voisin André, maintenant que me voilà débarrassé de ma mégère, la vie serait belle!»
Le soir, il alla sur le rivage pour guetter la flamme mystérieuse. Il n'eut pas longtemps à attendre, la flamme se montra et il en sortit l'étrange inconnu. Pierre cria:
«Je veux, moi aussi, libérer une âme!»
L'inconnu, sans un mot, lui tendit l'anneau de cuivre et disparut dans les flots. Le lendemain, Pierre revint et les vagues s'écartèrent devant lui. Il arriva à la belle prairie. Sur la prairie s'élevait une belle maison :
«Voilà qui ferait mon affaire!» se dit Pierre.
Il frappa à la porte.

25 MAI

Les deux pêcheurs

Le pêcheur avait à peine frappé que parut une géante avec une bouche fendue d'une oreille à l'autre. Le pêcheur bégaya :

102

«Respectable dame, ne sauriez-vous pas où je pourrais trouver trois pots fermés d'un couvercle?
— Attends un peu, tu vas voir! cria la géante. Tu ne veux pas m'épouser mais tu veux bien venir faire du mal ici!»
Elle se précipita sur le pêcheur. Il va sans dire que le pêcheur prit les jambes à son cou et s'enfuit. Tout à coup, il vit les trois pots. Il saisit le plus proche, l'ouvrit et eut l'impression que la montagne lui tombait sur la tête. Il pensa sa dernière heure venue et perdit conscience. Quand il reprit ses sens, il gisait, tout moulu, sur le rivage. Et il lui était poussé des écailles! Mais pas des écailles en or! De vulgaires écailles de poisson! Il retourna chez lui en pleurant et quand il s'approcha, sa méchante femme l'attendait sur le seuil!

26 MAI

La rivière chantante

Il était une fois une jeune fille indienne sur la rive de la rivière cristalline. Elle s'appelait Rosée-du-Matin. Chaque jour, elle se mettait à chanter et le Grand Esprit arrêtait toute vie sur la terre pour la mieux écouter. Rosée-du-Matin aimait le plus courageux des chasseurs de sa tribu et s'était fiancée à lui. Un jour, le jeune homme s'en alla à bord de son canoë sur la rivière et oublia de saluer le puissant Esprit des eaux. La rivière renversa le canoë et précipita le jeune homme dans les profondeurs. Il s'y changea en un saumon arc-en-ciel. Tout en pleurs, Rosée-du-Matin supplia la rivière de lui rendre son bien-aimé, mais les flots ne répondirent point. Alors la pauvre enfant se jeta dans le courant, implorant la rivière cristalline de prendre aussi sa vie. Les eaux eurent pitié de sa douleur et la changèrent en une blanche cascade. Chaque année, le saumon arc-en-ciel remonte le courant. Et la rivière cristalline chante, chaque matin, au lever du soleil.

27 MAI

Le maître d'école malin et le requin stupide

Il était une fois un maître d'école très malin. Il lisait dans les vieux livres et accomplissait des actions tout à fait

103

extraordinaires. Il portait sur la tête un chapeau, même quand il ne pleuvait pas. Les gens du village le soupçonnaient de sorcellerie. Un jour, le maître d'école se promena dans son bateau. Survint un requin qui renversa l'embarcation et tira le maître d'école jusqu'au fond de l'eau. Son chapeau flotta à la surface. Le maître d'école dit de sous les eaux :

«Que tu es donc bête, mon pauvre requin! Ne vois-tu pas que ma tête est restée hors de l'eau; elle contient tant de choses utiles.»

Le requin jeta un regard: c'était vrai, il y avait quelque chose sur l'eau! Il abandonna le maître d'école et se précipita vers la tête. Et le rusé compère nagea vers la surface et regagna la berge. Si vous rencontrez un requin portant chapeau, ce serait celui qui cherche la tête du maître d'école.

28 MAI

La princesse au petit pois

Il était une fois un jeune prince qui ne se voulait marier qu'avec une princesse. Il s'en alla donc chercher une fiancée. Des princesses, il en trouva mais aucune ne lui sembla la tout à fait véritable princesse qu'il cherchait. Il retourna au palais, très triste. Un soir, par une terrible tempête, on frappa à l'huis. La reine alla ouvrir et vit une charmante jeune fille. Elle demandait asile pour la nuit.

«Qui es-tu? lui demanda la reine.

— Une princesse, véritable princesse!»

Chacun, au palais, se réjouit. Mais la reine prit un petit pois, le posa sur un lit, entassa dessus vingt matelas et

deux fois vingt oreillers et invita la fillette à s'y coucher. Le lendemain matin, elle demanda à la princesse comment elle avait dormi. Celle-ci dit:

«Oh! la, la! De la nuit je n'ai fermé l'œil! Il y avait dans ce lit quelque chose d'affreusement dur!»

On se rendit compte alors qu'on avait affaire à une princesse tout à fait véritable et bientôt se célébrèrent des noces magnifiques.

29 MAI

Les souliers usés

Il était une fois un roi qui avait douze filles, toutes plus belles les unes que les autres. Elles dormaient toutes dans la même chambre et le roi les y enfermait à double tour pour qu'elles n'allassent point se promener durant la nuit. Mais tous les matins, les princesses avaient leurs petits souliers tout usés, comme si elles eussent dansé toute la nuit. Un jour, le roi, fort en colère, fit publier dans tout le pays qu'il donnerait une de ses filles et tout son royaume à qui découvrirait où les princesses allaient la nuit danser. De partout, affluèrent princes et chevaliers, le roi les installa l'un après l'autre près de la porte de la chambre où dormaient les princesses, mais dès minuit, il arriva à tous la même chose : leurs yeux se fermaient. Puis un jour, vint à passer un pauvre soldat licencié. Il entendit les lamentations du roi et se dit:

«Pourquoi ne pas tenter ma chance? Je vais me proposer pour surveiller les princesses désobéissantes.» Et il entra au palais.

30 MAI

Les souliers usés

En se rendant chez le roi, il rencontra

une bonne vieille qu'il salua poliment. La vieille, toute souriante lui dit :
«Je connais tes intentions, soldat! Quand tu seras occupé à veiller les princesses, garde-toi de boire le vin qu'elles t'offriront. Si tu suis mon conseil, tu ne fermeras pas l'œil jusqu'au matin. Mais fais semblant de dormir. Et voici un manteau magique que je te donne. Quand tu le revêtiras, il te rendra invisible et tu pourras suivre les princesses.»
Le soldat s'alla présenter devant le roi. On le vêtit de magnifiques habits et, le soir, le roi l'installa à la porte des princesses, lui disant d'un ton sévère :
«Si tu ne surveilles pas bien mes filles, je t'envoie au bourreau!»
Quand, un peu avant minuit, la plus jeune des princesses lui tendit une

coupe de vin, il fit semblant de boire mais renversa le liquide. Puis il se coucha par terre de tout son long. A minuit, l'aînée des princesses ralluma sa bougie et le lit s'enfonça dans la terre. Les princesses descendirent l'une après l'autre dans un souterrain et le soldat les suivit, rendu invisible par son manteau magique.

31 MAI

Les souliers usés

Mais le soldat, descendant derrière la plus jeune des princesses, mit le pied sur sa robe et elle s'écria, effrayée : «Mes sœurs, quelqu'un me suit!»
Ils parvinrent dans un jardin enchanté où poussaient des arbustes aux branches d'or et d'argent sur lesquels chantaient des oiseaux de diamant. Le soldat prit à chacun un petit morceau d'écorce pour le rapporter au roi.
Les princesses poursuivirent jusqu'à la rive d'un grand lac où les attendaient douze princes dans douze esquifs. Elles embarquèrent et les princes ramèrent vers un palais souterrain, couleur d'arc-en-ciel.
Arrivés au palais, ils se mirent à danser. Le soldat dansait aussi et quand l'un d'eux se versait un gobelet de vin, parfois il le buvait et les princesses disaient :
«Quel étrange sortilège!»
La fête dura toute la nuit. A l'aurore les princes reconduisirent les princesses de l'autre côté du lac et jusqu'à leur chambre. Mais le soldat les avait précédées et s'était annoncé chez le roi. Il lui conta toute l'affaire et lui montra les morceaux d'arbres et une coupe qu'il avait emportée. Le roi fit murer l'entrée du souterrain et, en remerciement, il donna au soldat la plus jolie de ses filles. Il maria les autres aussi à des soldats.

JUIN

La fleurette magique

Il y avait une fois un roi qui voulait savoir comment se conduisaient ses soldats et ce qu'ils pensaient de lui. Il prit des habits de mendiant et alla frapper à la porte de son meilleur soldat, demandant asile pour la nuit. Le soldat le fit coucher sur la paille. Mais, en pleine nuit, il l'éveilla, disant :
«Je vois, vieillard, que vous menez dure vie. Je possède une petite fleur magique qui ouvre toutes serrures.»
Le roi le suivit sans hésiter. Ils arrivèrent devant une boutique dont le soldat ouvrit la porte à l'aide de sa fleurette magique. Il prit tout l'argent de la caisse, le compta, en fit trois parts égales et dit :
«Ce premier tas est l'argent dont le marchand a besoin pour acheter des marchandises, le deuxième est ce qu'il a honnêtement gagné. Quant au troisième, il est pour nous car c'est ce qu'il a volé aux gens.»
Ils agirent de même dans toutes les autres boutiques, puis le soldat emmena le roi dans la salle du trésor royal. Le roi fit mine de vouloir s'emplir les poches, mais le soldat lui administra un terrible soufflet :
«Ne touche pas à ça, c'est l'argent dont le roi a besoin pour nourrir ses soldats. Prenons cet autre qu'il distribue à ses courtisans inutiles.»
Le lendemain, le roi fit venir le soldat qui tremblait de peur, mais le roi le rassura :
«Pour te récompenser du bon soufflet par lequel tu m'as éclairé l'esprit, je te nomme général en chef!»

Ce que racontait le perroquet

Un jeune homme acheta un perroquet qui savait raconter des histoires.
«Quand j'étais tout petit, dit-il, j'habitais une cage d'or dans la chambre d'une orgueilleuse princesse. Elle était si ravissante que toutes les plus

108

belles fleurs s'inclinaient devant elle. Mais elle était aussi cruelle et avide que belle! Aucun bijou n'était assez beau pour elle et elle portait des robes brodées d'étoiles et tissées d'ailes de papillons. Son père, un puissant monarque, satisfaisait à tous ses désirs. Un jour, cette orgueilleuse fille descendit au jardin avant l'aurore pour contempler le lever du soleil. L'herbe et les fleurs étaient couvertes de rosée. Quand le soleil parut, chaque goutte de rosée se mit à resplendir comme une irisation de diamant. C'était si beau et si étincelant que la princesse dut fermer les yeux pour n'être pas aveuglée. Quand elle se reprit, elle cria à son père :
''Sire le Roi, je veux un diadème en gouttes de rosée. Si je ne puis l'avoir, j'aime mieux mourir!''

3 JUIN

Ce que racontait le perroquet

Le roi appela ses orfèvres et leur ordonna de confectionner pour la princesse un diadème en gouttes de rosée. Les orfèvres s'en retournèrent tristement chez eux. Ils revinrent le lendemain, disant déjà adieu à la vie. ''Apportez-vous le diadème?'' demanda le roi.
Alors, s'avança du coin où il se dissimulait un vieillard inconnu qui dit :
''Je ferai pour la princesse ce joyau dont elle a envie si elle va elle-même ramasser les gouttes de rosée.''
La princesse tenta de recueillir dans sa main les étincelantes gouttes de rosée. Mais, dès qu'elle les touchait, elles se défaisaient.

''N'exige pas d'autrui ce que tu ne peux accomplir toi-même!'' dit alors le vieillard.
La princesse se sentit honteuse et offrit aux malheureux orfèvres de l'or et des pierres précieuses. Et elle cessa d'être orgueilleuse et cruelle.»

4 JUIN

Le berger qui eut de la chance

Il était une fois un berger qui gardait ses moutons. Un agneau s'échappa et le berger, le poursuivant, entra dans le bois. Il y vit un chaudron suspendu à un arbre. Il s'en échappait un parfum! Le berger saisit une cuiller en bois et goûta . . . C'était de la viande, mais pas de la viande . . . c'était du gâteau, mais pas du gâteau . . . enfin quelque chose de fameux. Tout à coup il entendit un bruit et, effrayé, se cacha dans le feuillage de l'arbre. Ce n'était qu'un petit chat qui lui dit : «Descends de ta cachette, j'ai du tra-

dans le brasier. Le berger n'en voulait rien faire mais le chat réussit à le convaincre. Tout à coup, se dressa sous ses yeux la plus belle princesse qu'on vit jamais! Elle dit :
«Merci de m'avoir délivrée! Maintenant, nous allons regagner mon palais et tu deviendras mon époux.»
Ils s'en allèrent donc. En chemin, ils firent rencontre d'un homme à cheval :
«Tiens mon cheval, mon garçon, dit le cavalier, je reviens à l'instant!»
Dès que l'inconnu se fut éloigné, il sauta sur le cheval, prit la princesse en croupe et ils arrivèrent au bord d'une rivière. Le berger coupa la queue du cheval et la jeta sur l'eau, puis il fit nager leur monture jusque sur l'autre rive. Cependant, l'inconnu recherchait son cheval, il arriva à la ri-

vail pour toi. Si, d'ici demain, tu coupes tous les arbres de ce bois, je te donnerai douze cents pièces d'or!»
Le berger se mit au travail. Il peina la moitié de la journée. Le chat lui dit :
«Attends, berger, je vais t'aider!»
Il prit une hache et les arbres se mirent à tomber comme épis sous la faux du moissonneur. Le chat reprit :
«Allons dormir. Mais, demain matin, tu me mettras tout cela en tas et tu recevras encore douze cents écus.»

vière, vit la queue qui surnageait et pensa que le berger s'était noyé avec l'animal. Le berger avait continué sa route, mais tout à coup il s'avisa qu'il avait oublié son bonnet de l'autre côté de la rivière et, ayant prié la princesse de garder un instant le cheval, il alla le quérir. Pendant qu'il le cherchait, l'inconnu aperçut son cheval, l'enfourcha et, emmenant la princesse, s'en fut vers le château.

5 JUIN

Le berger qui eut de la chance

Le lendemain matin, le berger se remit au travail. Mais, si le chat ne l'avait aidé, il serait encore en train de ranger son bois. Quand les troncs furent entassés, le chat ordonna au berger d'y mettre le feu et de le jeter

salutations. Il a décidé de voyager un peu. Pour que tu ne restes pas seule, il m'a dit de m'installer ici pour te donner un coup de main.»

Ma foi, la paysanne ne trouvait pas ce vagabond déplaisant et elle accepta avec plaisir. Avant toute chose, l'homme ordonna de couper les deux tilleuls qui poussaient devant la porte. Sur ce, voilà le paysan revenu avec sa farine. Le cheval se dirigea vers l'écurie, mais son maître lui cria :

«Ne reconnais-tu plus notre maison? Il n'y a pas nos deux tilleuls. Nous nous sommes trompés de village.» Et il reprit la route.

7 JUIN

Un paysan plein de sagacité

Le paysan ne comprenait pas comment il pouvait se perdre ainsi. Il finit

6 JUIN

Un paysan plein de sagacité

Il était une fois un paysan qui se rendait au moulin, monté sur son cheval. Comme il ne voulait pas épuiser sa bête, il portait le sac de blé sur son propre dos. Il fit rencontre d'un vagabond qui lui cria :

«Hé, compère, veux-tu donc crever ton cheval! Tu devrais marcher à pied et ne lui laisser que le poids du blé!

— Sot que tu es, répliqua le paysan, ne vois-tu pas que c'est moi et non mon cheval qui porte le sac?»

En chemin, le vagabond s'enquit de la demeure du compère et alla trouver sa femme à qui il déclara :

«Hé! La mère, ton époux t'envoie ses

111

par s'arrêter dans une auberge où survint un villageois qui lui dit :
«Compère, donnez-moi un conseil : j'ai un joli poulain mais il reste couché de tout son long dans sa stalle.»
Le paysan alla voir, s'agenouilla auprès de l'animal et lui dit à l'oreille : «Si tu préfères mourir, les chiens seront bien contents de te dévorer.»
Le poulain n'était pas malade, mais très paresseux. Quand il entendit parler de chiens, il se dressa et prit le trot. Le villageois avait contemplé tout cela, bouche bée, se demandant : «Quel homme est-ce donc qui guérit un cheval seulement en lui parlant!»
La renommée du médecin parvint jusqu'au roi qui l'invita au palais. Quand le paysan y arriva, le roi se reposait sous la tonnelle. L'orage menaçait et il y avait force moustiques que le paysan chassait en faisant de grands gestes. Le roi pensa qu'il lui faisait signe et s'approcha de lui. A ce moment, un éclair déchira le ciel et la foudre tomba sur la tonnelle. Le roi s'écria :
«C'est donc pour cela que tu me faisais signe, sage parmi les sages! Tu savais quel danger me menaçait. Et il nomma le paysan premier conseiller à la cour!»

8 JUIN

Sonne la cornemuse!

Un jeune cornemuseux se rendait dans un village où se tenait une fête. En chemin un petit œuf roula sous ses pieds d'où sortit une faible voix :
«Fais-moi sortir!»
Le cornemuseux brisa la coquille et il en sauta un petit lutin qui, pour récompenser son sauveur, frappa la cornemuse avec un poil de sa queue de souris, puis disparut. Le cornemuseux s'en fut à son concert. Mais à peine avait-il appuyé sur la poche de sa cornemuse qu'il en sortit un autre lutin qui se mit à chanter :
«Argent mal-acquis, viens vers moi!»
Au même instant, des poches et des escarcelles des fermiers, des marchands malhonnêtes s'échappèrent

de bons écus qui roulèrent vers le cornemuseux et s'engouffrèrent dans la cornemuse ensorcelée. Les victimes voulurent se précipiter à la poursuite de leur argent, mais quelque chose les retint immobiles sur place.»
Le cornemuseux n'était pas content :
«Mais que l'argent retourne à ceux à qui il appartient vraiment!»
Et il distribua tout aux pauvres. Le lutin le félicita :
«Tu as bien agi, cornemuseux! Si tu avais gardé pour toi cet argent, tu aurais voué ton âme à l'enfer!»

9 JUIN

L'oie verte

Ceci se passait dans des temps très reculés. Vivait alors un pauvre paysan qui avait douze filles et sa femme et lui ne pouvaient les nourrir. Un jour, il alla au bois chercher des fagots, accompagné de l'aînée de ses filles. Tout à coup, surgit devant eux un carrosse d'or où se tenait une belle dame, toute verte, qui dit :

«Je connais ton triste sort. Mais si tu veux bien me donner ta fille aînée pour me servir pendant sept ans, tu trouveras ta cave pleine de nourriture et plus jamais tu ne manqueras de rien.»

La jeune fille le pressa d'accepter, ce qu'il fit sans plaisir. La dame fit monter la petite dans son carrosse et elles disparurent. Le paysan rentra chez lui et commanda à sa femme :

«Va à la cave et rapporte-nous ce qu'il y a de meilleur!»

La pauvre femme éclata en sanglots, pensant que, son mari avait perdu la tête. Elle faillit mourir de joie! La cave était pleine de choses délicieuses.

10 JUIN

L'oie verte

Cependant la dame verte avait mené la fille aînée dans un palais d'or, qui contenait des chambres innombrables. La dame lui dit :

«Voici les clés des chambres. Pendant les sept ans que tu seras à mon service, tu devras en prendre soin et faire les lits de diamant. Mais la dernière chambre que voici, tu ne devras jamais en ouvrir la porte!»

La jeune fille promit et se mit aussitôt à la tâche. Six années s'écoulèrent et elle ne vit au palais âme qui vive. Mais, comme s'approchait la fin de son service, elle ne put surmonter sa curiosité et regarda par un petit trou dans la chambre interdite. Elle vit une salle toute d'or au milieu de laquelle était un étang où nageait une oie verte. Comme la jeune fille la contem-

113

plait, l'oie s'écria tristement :
«Ma pauvre enfant! Si tu m'avais obéi, j'aurais été bientôt délivrée de ce sortilège! Mais maintenant, il me faut encore attendre pendant cent ans!»
La jeune fille se retrouva dans sa pauvre chaumière. Toutes les provisions disparurent de la cave et la misère revint chez ces pauvres gens.

11 JUIN

Le Long, le Gros et Œil-Perçant

Il y avait une fois un roi déjà âgé et qui n'avait qu'un seul fils. Un beau jour, il l'appela auprès de lui et lui dit :
«Mon fils, prends cette clé et rends-toi dans la treizième chambre. Tu y trouveras les portraits des plus belles parmi les filles de roi. Celle qui te plaira le plus deviendra ta femme.»
Le prince, arrivé dans la chambre secrète, vit accrochés au mur onze portraits encadrés d'or mais le douzième était caché sous un voile noir. Il le souleva et la princesse était plus belle que le jour, mais pâle comme la mort et de vraies larmes coulaient de ses yeux.
«C'est celle-ci que je veux et nulle autre», s'écria le prince.
A ces mots le portrait sourit. Quand

le prince informa le vieux roi de sa résolution, celui-ci se rembrunit :
«Tu as fait un choix dangereux, mon fils! Un méchant enchanteur garde ta fiancée prisonnière dans son noir château. Beaucoup de chevaliers ont déjà essayé de la délivrer, aucun n'en est jamais revenu.»
Mais le jeune prince ne changea pas d'avis.

12 JUIN

Le Long, le Gros et Œil-Perçant

Le prince erra longtemps par monts et par vaux et un jour, au cœur d'une épaisse forêt, il fit la rencontre de trois singuliers personnages.
«Gracieux prince, prenez-nous à votre service! lui dit le plus grand.
— Qui êtes-vous, demanda le prince, et que savez-vous faire?
— On nous appelle le Long, le Gros et Œil-Perçant, répondit le premier. Je peux m'allonger jusqu'aux nuages, le Gros peut boire la mer entière et, quand il s'y met, avaler tout ce qui vit

dans les alentours. Œil-Perçant peut voir ce qui se passe à l'autre bout du monde et, quand il enlève son bandeau, son regard est si fulgurant qu'il fait éclater les rochers les plus durs.
— Bien, dit le prince, pouvez-vous me dire où se trouve le château du méchant enchanteur?»
Œil-Perçant ôta son bandeau, les rochers se pulvérisèrent, et il dit :
«Je le vois mais une vie ne nous suffirait pas pour y atteindre! Que le Long nous prenne sur ses épaules.»
Ainsi firent-ils. Le Long s'allongea et sa tête se perdit dans les nuages. En un pas, il parcourait vingt milles et, avant le soir, ils étaient devant le château du méchant enchanteur.

13 JUIN

Le Long, le Gros et Œil-Perçant

Le château semblait abandonné. Le prince et ses compagnons pénétrèrent sans peur dans la grande salle et prirent place autour d'une table. A peine s'étaient-ils assis que les assiettes vides se garnirent de mets succulents et que les gobelets d'étain se remplirent de vin. Ils avalaient leurs dernières bouchées quand l'enchanteur apparut. Il avait une longue barbe noire et sa taille était ceinte de cercles de fer. Il conduisait par la main la princesse mélancolique.
«Je sais ce qui vous amène, gronda-t-il. Si vous gardez la princesse dans cette pièce jusqu'au lever du soleil, elle sera tienne, prince! Sinon, je ferai de vous des statues de pierre.»
Il conduisit la jeune fille au milieu de la pièce et disparut. La jeune princesse semblait dormir mais elle pleurait. Alors le Long s'étira tout autour de la salle. Le Gros se posta devant la porte et le prince prit dans la sienne la main de la princesse. Ils résolurent de rester éveillés toute la nuit, mais un profond sommeil s'empara d'eux.

14 JUIN

Le Long, le Gros et Œil-Perçant

Quand le prince s'éveilla, le soleil n'était pas encore levé mais il n'y avait plus trace de la princesse.
«Ne t'afflige point, lui dit Œil-Perçant, je vais la retrouver!»
Il regarda par la fenêtre, les rochers éclatèrent, mais il s'écria :
«Je la vois! Bien loin d'ici, au fond de

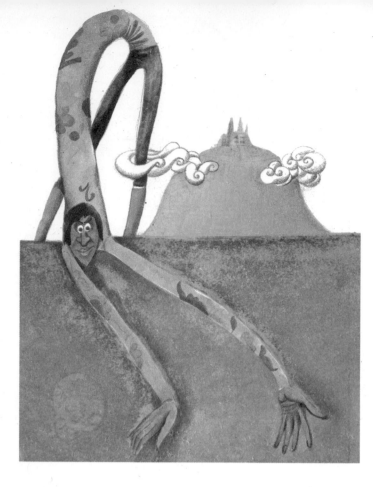

tirent de par le monde pour venir en aide aux braves gens.

Le navet

Il y avait une fois deux frères, l'un riche et l'autre pauvre. Ils servaient tous deux dans l'armée. Mais le pauvre abandonna bientôt l'habit militaire et préféra devenir paysan. Il acheta un champ pas plus grand qu'un mouchoir de poche. On ne sait pourquoi il y poussa un navet gigantesque. Le pauvre homme se dit :
«Qu'est-ce que je pourrais bien faire d'un pareil monstre. Si je le mangeais, je n'en viendrais pas à bout. Je vais en faire cadeau à notre roi!»

l'océan gît une bague d'or. Cette bague d'or, c'est notre princesse.»
A ces mots, le Long prit le Gros et Œil-Perçant sur ses épaules. Un de ses pas leur faisait parcourir trente milles et ils furent bientôt au but. Mais l'océan était si profond qu'ils ne pouvaient atteindre la bague. Alors le Gros se gonfla comme une énorme barrique et aspira toute l'eau de la mer. Ils ramassèrent l'anneau d'or et prirent le chemin du retour. Déjà apparaissaient les premiers rayons du soleil. Le Long lança la bague par la fenêtre à l'intérieur du château; en touchant le sol elle se changea en la jolie princesse. L'enchanteur, à cette vue, se mit à hurler de rage, il prit la forme d'un noir corbeau, tandis que le Prince, accompagné de sa belle Princesse se rendait à son royaume. Mais le Long, le Gros et Œil-Perçant repar-

Le roi fut stupéfait de voir pareil navet :

«Tu dois être né sous une bonne étoile.

— Une bonne étoile! s'exclama le malheureux. Quand, depuis mon enfance, je ne connais que la misère.»

Le roi le prit en pitié :

«Puisque tu es si pauvre, prends tout l'or que tu pourras porter!»

Cela vint aux oreilles du frère riche :

«Si le roi a fait tant de largesses à mon frère pour un simple navet, je vais lui offrir de riches présents et j'en obtiendrai encore plus généreuse récompense!»

Il acheta des bagues et des joyaux et fila vers le palais.

Le roi secoua la tête :

«Qui peut offrir de tels présents est plus riche que le roi lui-même et n'a besoin de rien.»

Il voulait quand même marquer sa reconnaissance et il ordonna à ses serviteurs d'apporter au riche donateur . . . le fameux navet!

16 JUIN

Jeannot le fainéant

On n'avait jamais vu au monde un fainéant comme Jeannot! Comme il n'avait pas le courage de mener sa chèvre à la pâture, il préféra épouser la grosse Trina, pensant qu'elle le ferait à sa place. Au début, il en fut ainsi : Trina s'occupait de la chèvre et Jeannot restait sous sa couette jusqu'à midi. Mais Trina n'était pas non plus une travailleuse acharnée! Un beau jour, elle proposa à son mari :

«Si nous échangions notre chèvre contre la ruche du voisin? Les abeilles trouvent leur nourriture elles-mêmes! Et elles nous feront un pot de miel.»

A l'automne, les abeilles avaient rempli un grand pot de miel.

«Hé là! se dit un jour Jeannot. Trina aime les sucreries, bientôt il ne nous restera plus de miel, échangeons-le contre une oie et ses oisons.

— D'accord, répondit Trina. Mais, auparavant, il faut que nous ayons un enfant, sinon qui surveillera l'oie?»

Ce disant, elle cogna le pot de miel qui tomba par terre. Jeannot soupira :

«Voilà notre oie et nos oisons morts! Comme cela, nous n'avons besoin de personne pour les garder. Nous nous sommes très bien débrouillés.»

Ils ramassèrent les morceaux et retournèrent au lit. Ils n'avaient plus de soucis.

17 JUIN

Le croûton de pain et l'élixir de vie

Un avare et un brave homme allaient ensemble à l'aventure. Un jour, fouillant leur besace, ils n'y trouvèrent plus que trois miettes. A ce moment, venu on ne sait d'où, surgit devant eux un vieillard qui les supplia :
«Bonnes gens, donnez-moi au moins une petite miette! Cela fait trois jours que je n'ai pas mangé.
— Il ferait beau voir», s'exclama l'avare.
Il avala d'un coup deux miettes. Mais le brave homme partagea la dernière avec le vieillard qui dit au moment où ils se séparèrent :
«Voici pour vous des récompenses. Ceci est un croûton de pain. Qui en croque un petit morceau le voit se transformer en une bouchée d'or fin. Ceci est une gourde pleine d'élixir de vie. Il soigne toutes les maladies. Partagez-vous comme il vous plaira.»
Le vieillard disparut. L'avare mordit dans son pain une énorme bouchée qui se changea en or, un morceau d'or

si pesant qu'il ne pouvait plus se tenir debout et qu'il se mit à rouler, sans pouvoir s'arrêter. Il roula jusqu'à un pont. Le pont se rompit sous lui et le poids de l'or l'entraîna dans la rivière où il se noya.
Cependant le brave homme parcourait le monde. Partout, il venait en aide aux malades grâce à l'élixir de sa gourde. Un beau jour, il guérit ainsi une charmante princesse et devint roi.

18 JUIN

Vassilissa la Belle

Il était une fois une ravissante jeune fille qui avait nom Vassilissa. Mais vint un triste jour où sa mère bien-aimée, avant de rendre le dernier soupir, donna à Vassilissa une poupée en disant :
«Veille bien sur elle. Quand tu seras malheureuse, donne-lui à manger et elle viendra à ton secours.»
Peu de temps après, le père de Vassilissa amena à la maison une belle-mère qui avait déjà deux filles fort laides. Ces trois femmes conçurent pour Vassilissa une grande haine. Cependant Vassilissa croissait chaque jour en beauté. Quand elle se sentait le cœur trop lourd, elle donnait un peu

de lait à sa poupée qui la consolait en lui fredonnant une des chansons qu'avait chantées sa mère. Un jour le père dut partir en voyage. Aussitôt la belle-mère et ses deux filles se mirent au lit et Vassilissa dut les servir. Elle avait tant de travail qu'elle ne put entretenir le feu dans l'âtre et il s'éteignit. Les mauvaises femmes crièrent : «Va quérir du feu chez la sorcière Baba Yaga qui dévore les gens!»
Et la jeune fille alla chez Baba Yaga.

19 JUIN

Vassilissa la Belle

Vassilissa marcha longtemps et arriva dans une sombre forêt. Elle se mit à courir et, hors d'haleine, parvint à une grande porte. Derrière la barrière, une étrange chaumière tournait sur une patte de poule. En sortirent un chien noir et un chat noir, qui se jetèrent sur Vassilissa comme pour l'étouffer mais une naine aux yeux noirs à la fenêtre de la chaumière, fit rentrer les animaux et demanda : «Que cherches-tu ici, malheureuse?» Vassilissa le lui expliqua en sanglotant. Juste à ce moment, le bois fut agité d'un courant d'air et dans les cieux parut Baba Yaga, à cheval sur un balai. Elle gronda:
«Que viens-tu faire ici, misérable ver de terre?»
Vassilissa se jeta à genoux et la supplia de lui donner un peu de feu, sans

quoi, elle ne pouvait retourner chez elle et Baba Yaga lui répondit :
«Bon! Si tu m'obéis, je te donnerai ce que tu demandes.»
Et elle fit coucher la pauvrette.

Vassilissa la Belle

Quand Vassilissa se leva, le lendemain matin, Baba Yaga lui tendit un sac où étaient mêlés des pois et des graines de pavot en lui disant :
«Avant que ne se présente un cavalier rouge, tu devras avoir tout trié!»

Vassilissa éclata en sanglots et gémit :
«Je n'aurais pas assez de toute ma vie pour faire ce travail!»
Elle donna une goutte de lait à sa poupée et lui conta ses tourments; la poupée lui répondit :
«N'aie crainte! Tout ira bien!»
Elle appela tous les oiseaux des bois et, en une minute, ils eurent séparé les pois des graines de pavot. Quand Baba Yaga revint, elle grommela :
«Bien! Mais une rude tâche t'attend. Avant que ne se présente un cavalier noir, il te faut casser toutes mes noix.»
Et elle entassa devant la jeune fille

trente sacs pleins de noix d'or. Puis elle repartit. Vassilissa se remit à pleurer, mais encore une fois la poupée lui vint en aide. Elle frappa dans ses mains, et, surgirent des milliers de souris qui cassèrent toutes les noix. Alors se présenta le cavalier noir et Baba Yaga parut dans les cieux. Quand elle vit que Vassilissa avait fini son ouvrage, elle éclata en imprécations et l'envoya se coucher.

Vassilissa la Belle

Pendant la nuit, Baba Yaga ordonna de chauffer le four pour y faire rôtir Vassilissa dès le lendemain matin. Puis elle s'étendit de tout son long et s'endormit d'un lourd sommeil. Cependant, Vassilissa avait tout entendu et elle se mit à supplier la servante :
«Je te donne mon foulard de soie, mais laisse-moi m'en aller!»
La servante avait le cœur sensible et la laissa aller. Mais le chien et le chat se jetèrent sur la jeune fille pour lui barrer la route, elle leur jeta des petits pâtés et courut vers la porte. Mais le bouleau la retint par les cheveux. Vassilissa noua aux branches du bouleau ses rubans de soie et enduisit la porte de beurre frais, et ils la laissèrent passer. Vassilissa s'enfuit et elle parvint saine et sauve à l'issue du bois. Quand Baba Yaga, au matin, s'aperçut de la disparition de sa prisonnière, elle couvrit d'injures sa servante, les deux pauvres bêtes, le bouleau et la porte, mais ceux-ci lui répondirent : «Tu ne nous a jamais donné la plus petite chose. Vassilissa a été gentille

avec nous et nous a récompensés!»
Vassilissa arriva chez elle où l'accueillirent sa belle-mère et ses sœurs avec reproches. Elles voulurent la battre mais furent réduites en cendres. Désormais, Vassilissa vécut avec son père dans la paix et le bonheur. Puis un jeune prince l'épousa.

22 JUIN

Apprendre à frissonner

Il y avait une fois deux frères. L'un était très avisé et l'autre un pauvre nigaud. Mais le frère intelligent était aussi très peureux. Les gens disaient de lui :
«Quand il lui faut sortir du village la nuit, il en frissonne de peur!»
«Voyez-moi ça! disait le nigaud. Même frissonner de peur, il le sait! Moi je voudrais bien savoir aussi.»
Le jeune homme partit alors de par le monde et, en chemin, se disait :
«Ce serait bien étonnant si je parcourais le monde sans apprendre à frissonner!»
Un passant l'entendit et le conduisit près du gibet lui disant :
«Reste ici jusqu'au matin et tu verras que tu apprendras à frissonner!»

23 JUIN

Apprendre à frissonner

Le nigaud s'assit sous la potence et s'alluma un petit feu. La nuit était glaciale et il y avait sept pendus. Le garçon, qui avait bon cœur, eut pitié de ces malheureux qui se gelaient, les décrocha et les installa près de lui devant le feu. Bientôt, les flammes roussirent les habits des pendus qui ne bougèrent pas. Et il les rependit. Le matin, le passant revint :
«Hé bien! Je suppose que tu as appris à frissonner!
— Pas du tout! Et ces sept là-haut ne m'ont rien appris du tout! Pourtant, je les avais invités à s'asseoir près de mon feu.»
Le passant se dit qu'un garçon de cet acabit, il n'en avait vu de sa vie et il le mena droit chez le roi. Le roi pensa

121

qu'il n'avait jamais rencontré quelqu'un d'aussi courageux et lui dit : «Tu veux apprendre à frissonner? Hé bien, je vais t'en fournir l'occasion. Près d'ici, il y a un château hanté. Des esprits y gardent un immense trésor. Si tu y passes trois nuits, je te donnerai ma fille en mariage. Tu ne pourras prendre avec toi que trois objets. Tu as jusqu'à demain matin pour te décider.»

24 JUIN

Apprendre à frissonner

Le lendemain, le jeune homme demanda un tour, un étau et une hachette et, le soir tombé, se rendit au château hanté. Il alluma un feu dans l'âtre et quand retentirent les douze coups de minuit, surgirent dans la pièce un chien noir à la gueule sanglante et un chat aux yeux étincelants qui proposèrent :
«Jouons aux cartes et si tu perds, nous te mettrons en morceaux.
— Pourquoi pas, répondit le jeune homme. Mais vous allez abîmer les cartes avec vos griffes, je vais vous les rogner un peu.»
Les deux animaux tendirent docilement les pattes, le garçon les emprisonna dans l'étau et leur trancha la tête. Puis il se mit tranquillement au lit. Mais le lit commença à se balancer à parcourir la maison de la cave au grenier et, finalement, versa le dormeur dans un tonneau plein de poix. Quand le roi l'y trouva le lendemain matin, il le crut mort mais le jeune homme ouvrit les yeux et dit :
«Je me demande si, la nuit prochaine,

j'apprendrai enfin à frissonner!»
Et, le soir venu, il s'enferma de nouveau dans le château hanté.

25 JUIN

Apprendre à frissonner

Vers minuit, on entendit un bruit dans la cheminée et il en tomba des membres humains, puis une tête et enfin un tronc. Tout cela composa un affreux personnage qui fut suivi d'un, puis deux, puis trois autres fantômes; ils se mirent à jouer aux quilles avec des crânes humains et proposèrent au jeune homme de jouer avec eux.

«Bien volontiers, répondit-il, mais vos boules ne sont pas vraiment rondes, je m'en vais les arranger un peu.»

Et il les plaça sur son tour pour leur donner une jolie forme et ils se mirent à jouer. Quand retentit le chant du coq, les fantômes disparurent.

La nuit suivante, à minuit, s'avança dans la pièce avec un sinistre grincement, un cercueil qui contenait un mort : un vieux forgeron avec une longue barbe blanche. Le jeune homme le prit en pitié :

«Mon ami, tu as bien froid!»

Et il mit le cadavre à côté de lui, dans son lit. A peine le mort s'était-il réchauffé un peu qu'il se ranima et se jeta sur le jeune homme :

«Mesurons nos forces et si tu ne frissonnes pas de peur, tu mourras!

— Ça me va», répondit le jeune homme.

Par de sombres couloirs, ils arrivèrent à une forge. Le mort d'un coup, enfonça l'enclume dans la terre. Le garçon sourit et d'un coup de sa hache, il fendit l'enclume et y emprisonna la longue barbe blanche de son compagnon. Il se fit un bruit terrible et, à la place du fantôme, apparut un énorme tas d'or et de diamants. Quand le roi arriva, le lendemain matin, il donna de grand cœur sa fille au jeune homme. Et la princesse apprit enfin à son jeune époux à frissonner. Un matin, elle lui versa dans le lit un plein seau d'eau glacée et le jeune homme apprit enfin ce pourquoi il avait parcouru le monde.

26 JUIN

Le roi Balafre

Il était une fois un roi qui organisa un magnifique tournoi pour trouver un époux à sa fille qui était un modèle d'orgueil. Du monde entier affluèrent les princes, les chevaliers, mais la vaniteuse les tournait tous en dérision. Celui-là était trop petit, celui-ci trop grand, un autre vraiment trop gros et son voisin, vraiment trop maigre, et ainsi de suite.

Celui qui eut à endurer le plus de railleries fut un jeune roi, le plus beau et le plus courageux de tous mais à qui un ours avait fait une blessure au visage. Il triompha de tous ses adversaires, mais alors la princesse s'écria : «Grands dieux, mais c'est un invalide!

C'est le roi Balafre!»
Elle s'en alla en ricanant. Finalement, tous les prétendants s'en allèrent, blessés dans leur dignité. Le roi en avait assez du comportement de son orgueilleuse fille et lui déclara :
«Ton stupide orgueil mérite punition. Je te marierai au premier vagabond qui s'arrêtera sous les fenêtres du palais!»
Juste à ce moment se présenta sous la fenêtre un pauvre chanteur ambulant. Il chantait si bien que le front du roi s'éclaircit et il dit :
«Voici ton fiancé!»

27 JUIN

Le roi Balafre

La princesse pleura et implora sa grâce, mais tout fut vain. Le roi la mit hors du palais avec de dures paroles :
«Va avec ton misérable époux là où tes pas te porteront et ne reparais plus devant mes yeux!»
La princesse, désespérée, suivit son époux par voies et par chemins. Ils arrivèrent dans une contrée de riches forêts, de champs fertiles et de grasses prairies. Au soleil, brillaient les murs d'une royale cité et la princesse demanda en soupirant :
«A qui appartiennent ces domaines?
— C'est le pays du roi Balafre.»
Elle sanglotait et son mari se fâcha :
«Tu es ma femme à présent, orgueilleuse princesse!»
Il la conduisit jusqu'à une petite chaumière, si basse qu'ils durent y entrer à genoux. Et le chanteur dit :
«Voici notre maison. Il va falloir, maintenant, que tu te mettes à la tâche. Et il enseigna à la princesse à tresser des paniers, pétrir le pain et nettoyer les

chambres. Mais ses mains blanches et douces furent bientôt en sang. Le mari la gronda :
«Bonne à rien! Il ne te reste plus qu'à aller au palais comme souillon de cuisine!»
Et elle dut bien obéir aux ordres de son mari.

124

28 JUIN

Le roi Balafre

La princesse menait bien triste vie. Du matin au soir, reléguée dans un coin, elle lavait la vaisselle. Bien heureuse quand elle pouvait emporter quelques reliefs dans des pots de terre qu'elle dissimulait sous son tablier. Cela les empêchait de mourir de faim. Un jour, le jeune roi, que la princesse n'avait jamais aperçu, devait amener sa fiancée. Le soir, la princesse, épuisée, s'apprêtait à retourner chez elle, mais elle ne résista pas à l'envie de jeter un coup d'œil dans la salle du festin. A ce moment, quelqu'un la saisit par la taille. Et, c'était le roi Balafre lui-même! La serrant dans ses bras, il la fit tourner joyeusement sur le plan-cher. La princesse crut en mourir de honte et voulut s'enfuir, mais le roi la retint et lui dit doucement :
«Ne reconnais-tu pas ton époux que tu as laissé dans la petite chaumière? Ton père et moi avons voulu te corriger de ton sot orgueil! Nous savions bien que tes dehors prétentieux cachaient un bon cœur et nous t'avons mise à l'épreuve. Maintenant, plus jamais nous ne nous séparerons!»
La princesse, bien heureuse, se jeta dans ses bras.

29 JUIN

Histoire de la petite souris

Il était une fois une petite souris qui n'était jamais contente. Rien jamais ne lui plaisait. Un jour, il lui prit envie de voir le monde. Elle sortit de ses demeures et la voilà dans l'herbe, où elle vit un nid d'oiseau et elle se dit :
«Quel superbe palais!»
Un petit oiseau s'envola et elle soupira :
«Comme il a un bel habit! C'est autre chose que le terne pelage de notre reine!»
Et la voilà qui saute dans le nid et s'y prélasse!

«Et ne venez pas m'ennuyer!» enjoignit-elle aux oisillons qui se trouvaient là. Je suis la reine!»
Les oisillons s'allèrent plaindre au pivert qui dit :
«Une souris, reine des oiseaux, je voudrais bien voir ça!»
Mais, dès qu'il s'approcha du nid, la souris se mit à crier :
«Chasseur, le voilà, tire!»
Epouvanté, le pivert partit à tire d'aile. Survint alors un jeune garçon qui imita le miaulement d'un chat. Elle se précipita dans un trou . . . de souris. Les oiseaux étaient bien contents et ils donnèrent au petit garçon chacun une de leurs plumes.

30 JUIN

Le voleur volé

Il était une fois un fils de paysan qui était un grand sot et un paresseux. Un beau jour, son père en eut assez et, en colère, lui déclara :
«Hors de ma vue, fainéant, bon à rien, puisque tu ne veux pas travailler, fais-toi voleur de grands chemins!»
Le fils n'avait rien contre. Il dénicha dans un vieux coffre le pistolet d'un grand-père, passa à sa ceinture une hache bien aiguisée et s'alla poster près de la fontaine du village. Tout d'abord, la chance lui sourit. C'était le jour où marchands et paysans revenaient de la foire et quand le garçon leur criait : «La bourse ou la vie!», ils lui abandonnaient les beaux écus dont leurs poches étaient pleines. En un instant, il eut l'escarcelle bien garnie. Alors, vint à passer le roi dans son carrosse et le stupide garçon de l'apostropher : «La bourse ou la vie!»
Mais le roi déclara :
«Pour ce qui est de moi, je vous donnerais volontiers tout ce que j'ai. Mais j'ai caché tous mes biens dans cette fontaine. Ni mon cocher ni moi ne savons nager, mais, si vous voulez, allez les prendre vous-même.»
Le pauvre sot n'hésita pas, il ôta ses habits aux poches pleines et plongea dans la fontaine. Le roi dit, avec un sourire railleur :
«Ne sais-tu pas, mon ami le sot, que les plus grands voleurs de la terre, ce sont les rois?»
Il s'empara de la recette du voleur et s'en fut.

JUILLET

1ᵉʳ JUILLET

Le savetier qui trompa le diable

Il était une fois un savetier bien pauvre qui avait une femme fort querelleuse. Un jour, il préféra s'en aller chercher aventure ailleurs. Il chemina longtemps et, tout à coup, il vit devant lui une flamme sur sa route d'où sortit un diable.

«Où vas-tu ainsi?» cria le diable.

Le savetier lui conta son histoire et le diable reprit :

«Hé bien, nous logeons à la même enseigne! Moi aussi, j'ai fui l'enfer à cause de ma vieille diablesse. Je t'assure que Lucifer lui-même n'y aurait pas tenu!»

Le savetier plaignit le pauvre diable et ils firent sur l'heure amitié. Ils décidèrent de voyager ensemble et arrivèrent un jour dans un royaume étranger. Le diable proposa :

«Si tu veux, mon ami, je vais m'introduire dans le corps de la fille du roi et, quand aucun remède n'aura pu la soulager, tu prendras les habits d'un mage et tu viendras la guérir. Nul doute que le roi ne te récompense richement!»

Ils firent ce que le diable avait combiné. La princesse possédée du diable avait perdu l'esprit et alors se présenta le savetier sous son déguisement.

2 JUILLET

Le savetier qui trompa le diable

Dès que le savetier fut introduit dans la chambre de la princesse, le diable se sauva par la cheminée et la jeune fille recouvra la santé. Le roi donna au guérisseur un plein sac de pièces d'or. Celui-ci retrouva le diable hors de la ville et ils partagèrent équitablement. Ils parcoururent ainsi le monde, le diable tourmentant les pauvres princesses que le savetier guérissait. Un jour le diable déclara :

«Retourne tranquillement chez toi. Moi, je vais m'occuper encore d'une princesse et j'emporterai son âme en enfer pour mes camarades. Mais, attention, cette princesse-là, ne t'avise pas de la venir guérir.»

Le savetier prit congé du diable et s'en retourna chez lui. A la vue du tré-

128

sor qu'il rapportait, sa femme lui fit doux accueil. Mais un jour, les soldats du roi lui ordonnèrent, au nom du roi, de venir guérir sa fille qui était possédée du diable. S'il n'acceptait pas, les soldats avaient ordre de le fusiller sur place. Bien sûr, le savetier ne voulait pas y aller, mais il y fut bien obligé. Dès qu'il se présenta dans la chambre de la princesse, le diable lui cria : «Ne t'avais-je pas défendu de te mêler de mes affaires?»
Mais le savetier lui murmura : «Mon ami, ça va mal! Nos femmes nous cherchent pour nous faire labourer le champ!»
Quand il entendit cela, le diable s'enfuit par la cheminée et on n'entendit plus jamais reparler de lui.

3 JUILLET

L'oie d'or

Il était une fois un fermier qui avait deux fils qui ne se ressemblaient point. Le premier était plein d'esprit, le second bayait aux corneilles. Les parents avaient un faible pour l'aîné et n'avaient pour le cadet que paroles désobligeantes. Dans la famille, on ne l'appelait que Tiululum. Un jour, le père envoya son fils aîné dans la forêt couper du bois. La mère lui cuisit une omelette et ajouta une fiole de vin doux. Le jeune homme s'installa dans la clairière et alors apparut un étrange vieillard, tout gris, qui demanda : «Donne-moi une petite part!
— Pas question, répondit le fils avisé, j'en ai tout juste pour moi.»
Le petit vieux le menaça du doigt et disparut.

4 JUILLET

L'oie d'or

Quand Tiululum s'en alla au bois, sa mère ne lui prépara point une omelette mais lui cuisit dans la cendre une galette toute sèche et ajouta dans sa besace une cruche de bière aigre.
A peine le jeune homme était-il arrivé que le petit vieux parut et lui demanda la charité. Le brave Tiululum lui répondit gentiment :
«Prenez, à la grâce de Dieu, tout ce que vous voudrez! Mais vous ne ferez pas grand régal : je n'ai qu'une galette sèche et un peu de bière aigre.»
Mais, quand il ouvrit sa besace, il y trouva la plus baveuse des omelettes et le vin le plus doux. Le petit vieux lui dit :
«Ton bon cœur mérite récompense! Coupe cet arbre mort. Ce que tu y trouveras, emporte-le avec toi et pars à l'aventure. Tu verras que le bonheur t'attend.»
Le jeune homme fit ce que le vieux lui disait et, dans le feuillage de l'arbre, il trouva une oie dont les plumes étaient d'or fin et avaient la propriété de retenir tous les voleurs. Tiululum la prit sous son bras et, suivi de tout un cor-

tège de ceux qui avaient tenté de toucher l'oie d'or, il arriva à la capitale.

5 JUILLET

L'oie d'or

A la fenêtre du palais se tenait une princesse à l'air mélancolique. Le roi avait publié qu'il accorderait la main de sa fille au premier qui pourrait la faire sourire. Quand Tiululum parut, en tête de son cortège, la princesse se mit à rire très fort. Mais le roi se sentait fort embarrassé. Aussi enjoignit-il à Tiululum de lui trouver un homme qui fût capable de boire en une fois tout le vin des caves royales et d'avaler dans le même temps toute une montagne de gâteaux. Bien, bien, dit Tiululum qui arracha une plume d'or à l'oie qu'il avait sous le bras. Puis il retourna au bois où il avait rencontré le petit vieillard, comptant sur son aide. Il remit l'oie à la place où il l'avait trouvée et alors surgit un gail-

lard rond comme une barrique qui dit :

«Je sais ce que tu cherches et je t'aiderai bien volontiers! Au petit matin, je n'ai mangé que dix bœufs et je n'ai bu que vingt tonneaux de vin. Je me sens en appétit!»
Ils retournèrent ensemble à la ville royale et le gros homme attaqua nourriture et boisson. Il mangeait, mangeait et le roi se hâta de promettre sa fille à Tiululum, de crainte qu'il ne dé-

vorât tout le royaume. A l'instant, l'homme-barrique reprit l'apparence du petit vieillard, bénit le jeune homme et disparut.

6 JUILLET

Le nain Barbichu

Il était une fois un meunier qui avait une fille d'une grande beauté. La renommée en vint aux oreilles du roi qui se rendit au moulin et soupira :
«Seigneur Dieu, quelle ravissante créature!»
Le meunier, alors, prétendit :
«Mais sa beauté n'est rien encore! Ma fille peut changer la paille en or.»
Le roi ordonna au meunier de lui amener sa fille le lendemain au château. Quand il fut parti, la jeune fille fit des reproches à son père.
Mais le meunier lui dit qu'on verrait bien et la mena chez le roi le lendemain. Le souverain enferma la pauvre enfant dans une pièce pleine de bottes de paille, disant :
«Si demain matin tu ne m'as pas tout changé en or, tu seras exposée au pilori!»
La fillette se mit à pleurer mais, dans un coin, le mur se brisa, livrant passage à un petit nain dans un habit de paille qui dit :
«Que me donnerais-tu si, avant demain matin, je remplissais d'or la chambre?»
La jeune fille lui promit son anneau d'or et le nain s'assit au rouet et fila la paille, la transformant en or. Le lendemain soir, le roi enferma la jeune fille dans une chambre plus grande, devant un plus gros tas de paille.

7 JUILLET

Le nain Barbichu

A peine le roi avait-il tourné la clé dans la serrure que le nain était là, demandant quel serait son cadeau. La jeune fille promit son collier et le nain se mit à l'œuvre avec tant d'ardeur que le roi, le lendemain matin devant tant de richesses, faillit se pâmer.
Mais la troisième nuit, la fille du meunier n'avait plus rien à offrir au nain. Celui-ci fit d'abord grise mine puis dit :
«Bon! Je te filerai de l'or cette nuit encore, si tu me promets de me donner le premier enfant que tu mettras au monde!»
La jeune fille promit, se disant qu'on avait le temps de voir venir. Le nain se mit donc à l'ouvrage. Quand le roi vit

tout ce tas d'or, il n'hésita plus et épousa la ravissante fille du meunier. Une année ne s'était pas écoulée qu'un petit prince naquit au palais. Il portait une étoile d'or au front et ses mains étaient comme de l'albâtre. L'heureuse reine ne voulait s'en séparer un seul instant. Mais une nuit, le mur près du berceau craqua et le nain fit irruption dans la chambre, criant : «Donne cet enfant!»
Sous ce coup imprévu, la reine éclata en sanglots et supplia le nain de ne lui point prendre son fils.
«Bon, répondit le nain, si d'ici trois jours tu devines le nom que je porte, tu garderas ton enfant.»

8 JUILLET

Le nain Barbichu

Le lendemain, le nain reparut :
«Alors, reine, quel est mon nom?
— Pierre, Paul, Mathieu, Thomas?
— Tu gèles, tu gèles!»
Quand sonnèrent les douze coups de minuit, il disparut encore. La reine ne dormit pas de la nuit, se creusant la cervelle pour deviner le nom fatal.

Quand, le lendemain, le nain surgit une fois de plus, c'est en vain qu'elle dévida tous les noms du calendrier. La fin du troisième jour approchait et la reine se sentait devenir folle de douleur. Alors se présenta au palais un vieux berger qui conta à la reine : «J'étais dans la forêt et j'ai vu deux fantômes se tenant devant un feu et un troisième, un tout petit bonhomme, dansait sur un pied et chantonnait : ''Avant-hier, j'ai mangé de la bouillie; hier, un petit pain au sucre; ce soir je me rôtirai un petit prince. Vive le nain Barbichu!''»
Il avait à peine fini son récit qu'apparut le méchant nain :
«Je sais, cria la reine, tu t'appelles Barbichu!»
Le nain s'écria :
«C'est le diable qui te l'a soufflé!»
Il fit, de rage, une brutale culbute et se brisa en deux morceaux.

9 JUILLET

Le chat botté

Il y avait une fois un meunier qui vivait dans son moulin avec ses trois fils. Quand le père vint à mourir, il ne laissait, hors son moulin, comme héritage qu'un vieil âne et un chat. Les deux aînés prirent le moulin et l'âne et le plus jeune dut se contenter du chat. «Que ferai-je de toi? Quand je t'aurai rôti et mangé, il ne me restera rien! — Achetez-moi plutôt une paire de bottes, répondit le chat, et laissez-moi le soin de votre fortune!»
Le jeune homme fit ce qu'il souhaitait et, avec ses derniers sous, lui acheta des bottes. Le chat les enfila sur-le-champ et s'en fut au palais du roi.

10 JUILLET

Le chat botté

En chemin il attrapa force lièvres et force perdrix et les offrit au roi; il fit une grande révérence et dit :
«Mon maître, le Marquis de Carabas, vous prie d'accepter ces quelques produits de sa chasse!»

Un jour, le roi s'en fut promener en carrosse, menant sa fille avec lui. Le chat dit à son maître :
«Allez vous baigner dans l'étang et laissez-moi faire!»
Puis il courut au-devant du carrosse royal, criant bien fort :
«Sire le roi! Des voleurs ont pris les habits de mon maître, le Marquis de Carabas, pendant qu'il se baignait dans l'étang!»
Le roi, se souvenant des bonnes façons du prétendu marquis envoya un serviteur lui porter un bel habit et invita gracieusement le fils du meunier à prendre place dans son carrosse. Celui-ci, revêtu de riches habits, avait fort bonne mine et la jeune princesse n'en pouvait détacher les yeux.

11 JUILLET

Le chat botté

Partout où passait le carrosse avec le roi, sa fille et le fils du meunier, les paysans criaient :
«Vive notre bon maître, le Marquis de Carabas!»
Et quand le roi se penchait à la portière pour demander à qui appartenaient ces beaux champs et ces riches pâturages, tous répondaient :
«Au Marquis de Carabas!»
C'était le chat qui, courant en avant, le leur avait enjoint.
A la fin, notre maître chat arriva à un magnifique château qui appartenait à un ogre fort connu dans la région.
Le chat s'avança sans peur et dit :
«Il m'est venu aux oreilles, Sire Ogre,

que vous êtes un magicien renommé. Je voudrais bien voir moi-même si vos pouvoirs surpassent les miens.»
L'ogre se mit à rire et, à l'instant, se changea en un lion rugissant. Le chat n'en continua pas moins :
«Cela n'est rien! Mais pourriez-vous vous changer en un tout petit animal, disons une simple souris?»
L'ogre se changea en une petite souris et le chat sauta sur elle et la croqua. A ce moment, le carrosse franchissait le pont-levis et le roi demanda :
«A qui appartient ce magnifique château?
— A mon maître, le Marquis de Carabas!» répondit le chat.
Le roi ordonna que l'on apprêtât les noces du fils du meunier et de la jeune princesse.
Et, depuis ce jour, le chat se distrait en chassant les souris dans les greniers du palais.

12 JUILLET

La sotte pieuvre et le petit poisson malin

Au temps jadis, les poissons nommèrent la pieuvre reine des mers. La pieuvre était stupide et débordait de prétention. Un jour, un malin petit poisson trouva dans une vieille barque abandonnée un parapluie qu'il apporta à Sa Majesté.
«Qu'en puis-je faire? demanda-t-elle, très étonnée.
— Mais, répondit le poisson, tu pourras t'en protéger quand il pleut au fond de l'eau!»
La pieuvre enchantée reprit :

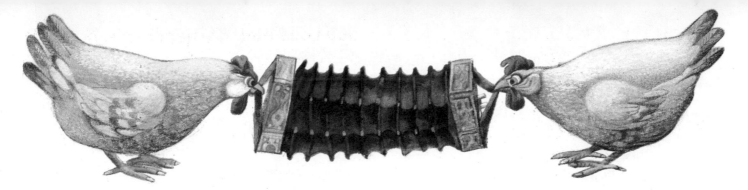

«Je n'avais jamais vu rien de pareil! Je te nomme mon premier ministre!» Le petit poisson, fier de cette distinction, s'en vanta et se moquait de sa souveraine. Mais un jour, un pêcheur le prit à l'hameçon.

«Laisse-moi aller, s'écria le poisson, je suis le premier ministre de la reine.» Le pêcheur rit bien fort, mais déclara : «Un chef stupide fait bien l'affaire des malins. Mais, quand même, arrive un jour où le plus malin se prend à l'hameçon.»

13 JUILLET

Quand le coq et la poule allèrent à Rome

Derrière l'étable, les musiciens jouaient et le coq dansait avec la

poule. Quand ils eurent assez dansé, ils s'en furent se promener, la poule trouva un grain de mil et le coq un petit billet :

«Ecoute, ma poulette, dit le coq tout glorieux, sur ce billet il est écrit que je dois aller à Rome et que l'on m'y fera pape!

— J'irai avec toi», répondit la poule, fort aise.

Et les voilà en route pour Rome! En chemin, ils rencontrèrent la pie qui leur demanda où ils allaient :

«Mais à Rome, conta le coq. On m'y ferait pape. La poule sera Madame la Papesse.

— Prenez-moi avec vous, je serai votre trésorière», proposa la pie.

Les voilà partis tous trois! Ils firent rencontre d'un moineau auquel le coq se vanta :

«Nous allons à Rome, ami moineau, on m'y fera pape. La poule sera la Papesse et la pie notre trésorière.

— Comment, pépia le moineau. Prenez-moi avec vous, j'ai une bonne voix, je serai votre chantre.»

Et les voilà partis tous quatre! Ils rencontrèrent le renard et crièrent :

«Nous allons à Rome.»

Le renard eut un sourire et dit :

«Il est déjà bien tard, venez chez moi passer la nuit. Demain matin, je vous montrerai la route pour Rome.»

Et ils suivirent le renard chez lui.

14 JUILLET

Quand le coq et la poule allèrent à Rome

Ils entrèrent et, dès que la porte se fut refermée sur le coq et sa suite, le renard ordonna :
«Coq, chante-moi un petit air!»
Le coq dit qu'il ne savait pas chanter.
«Alors, dit le renard. Écoute plutôt : quand j'étais au service d'une méchante fermière à cause de toi, je n'ai jamais pu dormir à ma suffisance. Dès l'aube, tu poussais ton cri et il me fallait sauter du lit. Pour me venger, je vais t'arracher la tête!»
Il fit ce qu'il avait dit et s'en prit à la poule :
«Écoute plutôt, tu cachais tes œufs si bien que je ne les pouvais trouver. Pour me venger, je vais t'arracher la tête!»
Il fit ce qu'il avait dit et s'en prit à la pie :

«Écoute plutôt : chaque fois qu'on me battait, tu te riais de moi! Pour me venger, je vais t'arracher la tête!»
Il fit un bond et c'en fut fait de la pie.
Il se tourna alors vers le moineau :
«Au moins toi, moineau, tu vas me chanter quelque chose!
— De grand cœur, répondit le moineau. Mais, pour que je puisse chanter, il me faut de l'air frais. Ouvre la fenêtre.»
Le renard, bien sot, obéit. Le moineau s'envola, se percha sur un arbre, fit un profond salut et chanta.

15 JUILLET

La gardeuse d'oies

Au royaume des pâquerettes, régnait, il y a très longtemps, une reine qui était veuve. Elle n'avait qu'une fille unique, mais merveilleusement belle. Quand elle eut grandi, la reine lui dit : «Mon trésor chéri, ton père et moi t'avons promise au prince d'un lointain royaume. Il est temps que tu ailles le rejoindre.»
Elle revêtit sa fille d'habits magnifiques et ordonna que l'on sellât deux chevaux, l'un pour la princesse, l'autre pour sa chambrière. Le cheval de la

136

princesse avait nom Falada et il savait parler. Au moment où la princesse se préparait à prendre la route, la reine lui tendit un mouchoir blanc, disant : «Ce mouchoir est marqué de trois gouttes de mon sang. Pendant le voyage, il te protégera contre tous les dangers.»

La princesse partit pour son long voyage. Quelques jours après, elle eut, dès le matin, grand-soif et demanda à sa servante de lui verser de l'eau dans son hanap d'or. Mais la chambrière répondit grossièrement : «J'en ai assez de vous servir!»

La princesse se pencha au-dessus du ruisseau pour boire mais le mouchoir de sa mère était tombé de sa poche et s'en allait au fil de l'eau.

16 JUILLET

La gardeuse d'oies

La méchante chambrière s'était aperçue que la princesse avait perdu son talisman et, quand elle voulut remonter sur son fidèle Falada, elle lui cria : «Monte sur l'autre cheval!»

Puis elle obligea la princesse à quitter ses habits royaux et à s'habiller en servante sous peine de la vie. Quand elles arrivèrent au royaume étranger, le prince emmena la prétendue princesse dans son palais. Quant à la véritable princesse, elle dut aller garder les oies en compagnie du jeune berger Conrad. La fausse princesse craignait que le fidèle Falada ne rapportât au prince sa traîtrise et elle le fit abattre. Elle fit ensuite suspendre la tête du pauvre animal à la porte de la ville où passait la princesse pour mener paître ses oies. Quand la malheureuse vit ce triste trophée, elle versa des larmes amères :

«Mon pauvre Falada, quel triste sort que le tien!»

Et la tête répondit :

«Qu'en est-il, princesse, de ta beauté!»

Le petit berger Conrad fut étonné d'entendre sa compagne s'entretenir avec une tête de cheval, mais il ne dit rien.

17 JUILLET

La gardeuse d'oies

Arrivée dans la prairie, la princesse se mit à se coiffer. Le berger Conrad trouva ses cheveux si beaux qu'il voulut les toucher, mais la princesse,

Les quatre frères apprentis

avec un sourire, se mit à chanter :
«Zéphyr, attrape ce galopin! Prends-lui son bonnet et ne le lâche pas avant que j'aie fini de me coiffer!»
Survint une brise qui bouscula Conrad et lui enleva son bonnet. Quand ils rentrèrent, Conrad alla trouver le vieux roi, et lui rapporta que cette étrange gardeuse d'oies pratiquait des sortilèges. Le lendemain, le vieux roi suivit en cachette ses bergers. Il entendit la princesse, à la porte de la ville, parler avec la tête du cheval. Le soir, il la fit appeler. Mais la princesse se taisait. Alors le roi dit :
«Confie-toi à ce vieux poêle, cela soulagera ton cœur!»
Quand le roi fut parti, la princesse ouvrit la porte du poêle et lui conta son aventure. Mais le roi écoutait. Il fit appeler la fausse princesse et lui demanda :
«Quel châtiment réserverais-tu à une usurpatrice?»
La fausse princesse répondit :
«Je la ferais précipiter du haut du pont!
— C'est toi qui as jugé!» reprit le roi. Il appela ses serviteurs pour qu'ils la précipitassent à l'eau. Et la belle gardeuse d'oies retrouva la place qui était la sienne.

Il y avait une fois quatre frères qui partirent à l'aventure. Ils arrivèrent à une croisée des chemins où un vieux hibou leur conseilla :
«Séparez-vous et que chacun suive un chemin différent. Revenez ici quand vous aurez appris un état.»
Et chacun s'en alla de son côté. Le premier rencontra un maître voleur qui lui dit :
«Prends mon industrie. Elle n'est peut-être pas honorable mais, si tu y réussis, tu en tireras ce qu'aucun autre ne peut obtenir de son travail.»
Le jeune homme se laissa convaincre. Le second des frères se mit à étudier chez un astronome. Son maître lui fit cadeau d'un téléscope, disant :
«Tu pourras voir tout ce qui se passe sur la terre et dans les cieux.»
Le troisième frère prit comme maître

138

Dans l'arbre, un nid où un oiseau couve ses œufs. Dis-moi, astronome, combien y a-t-il d'œufs?
— Quatre, répondit l'astronome.
— A toi, le voleur, commanda le père, vole ces œufs sans que l'oiseau s'en aperçoive!»
Dès qu'il les eut apportés, le père les posa sur la table, un à chaque coin et se tourna vers le chasseur.
«Voyons si tu pourras les briser d'un seul coup!»
Le chasseur visa et les coquilles s'éparpillèrent. Le tailleur les ramassa et les recousit. Puis le voleur les rapporta dans le nid. Quand les oisillons naquirent, ils étaient en parfaite santé. Le père complimenta ses enfants.

20 JUILLET

Les quatre frères apprentis

Quelques jours après, une catastrophe vint frapper le royaume. Un cruel dragon avait enlevé la princesse. «Voilà un travail pour nous!» se dirent les frères.
L'astronome regarda dans son télé-

un chasseur qui lui donna un fusil qui ne ratait jamais son coup.
Le quatrième et plus jeune apprit le métier de tailleur. Il reçut de son patron une aiguille qui pouvait coudre n'importe quoi sans qu'on y pût voir les points. Puis les quatre frères se retrouvèrent à la croisée des chemins, et retournèrent à la maison paternelle.

19 JUILLET

Les quatre frères apprentis

Le père accueillit ses fils à bras ouverts. Chacun se vanta de l'état qu'il avait appris avec tant de succès. «Bien, dit le père, je vais vous mettre à l'épreuve. Là-bas, il y a un arbre.

scope et s'écria :

«Je la vois. Loin dans la mer, il y a un rocher. Le dragon y cache sa proie.» Le voleur déroba sans tarder une embarcation et les frères s'en allèrent en mer. Ils voguèrent longtemps. La princesse était assise sur une pierre auprès du dragon, qui ronflait si fort qu'il en soulevait les flots. Alors, le voleur s'approcha et enleva la jeune fille habilement. Les frères prirent aussitôt le chemin du retour. Le dragon se réveilla, vit sur la mer la barque qui s'enfuyait et se jeta à sa poursuite. Le chasseur l'ajusta et lui tira sa balle juste dans le cœur. Malheureusement, le dragon mort tomba sur la barque qu'il brisa en mille morceaux. Le tailleur tira son aiguille magique et se mit à coudre la barque. Et les frères arrivèrent heureusement à la capitale.

La princesse qui voyait tout

Il était une fois une princesse qui avait dans son palais une chambre enchantée qui possédait autant de fenêtres qu'il y a de facettes dans l'œil d'une abeille. Quand la princesse regardait par la première fenêtre, elle voyait tout ce qui se passait dans le jardin du palais. Quand elle regardait par les autres fenêtres, même d'un seul œil, elle voyait tout ce qui bougeait sur la terre et sous la terre, dans les cieux, devant elle, derrière elle, dans tous les coins. Un jour, on publia que la princesse prendrait pour époux celui qui saurait se cacher si habilement qu'elle ne parviendrait pas à le trouver. La princesse trouva à la minute même tous ceux qui osèrent concourir. Alors que le dernier prétendant avait tristement échoué, se présenta au palais un jeune archer qui dit à la princesse : «Je viens faire une partie de cache-cache avec toi. Les deux premières fois, ce sera pour rien et la troisième pour de bon!»

La princesse qui voyait tout

Le jeune archer chercha une cachette dans le jardin du palais. Ce faisant, il aperçut un oiseau dans le feuillage d'un arbre et apprêta une flèche, mais l'oiseau lui cria :
«Ne tire pas! Peut-être auras-tu un jour besoin de mon aide.»
L'archer fit grâce à l'oiseau. Il quitta le jardin et arriva à une rivière où appa-

140

rut, tout à coup, un gros poisson. L'archer se préparait à lui décocher sa flèche quand l'animal lui demanda de l'épargner. Le jeune homme continua son chemin et arriva dans une profonde forêt. Devant lui, il vit un renard qui avait une épine dans la patte et boitait. L'archer, ému de pitié pour la bête souffrante, lui enleva l'épine. Le renard remercia et ajouta :
«Je n'oublierai jamais ta bonté. Si tu viens à avoir besoin de moi, tu n'auras qu'à m'appeler!»
L'archer retourna au château, penaud :
«Quelle journée! Je n'ai rien chassé et je n'ai pas trouvé de cachette!»
La princesse l'attendait et lui cria :
«Alors, vas-tu te cacher, oui ou non?»

23 JUILLET

La princesse qui voyait tout

L'archer se désolait quand survint l'oiseau dont il avait eu pitié :
«Console-toi, je vais te venir en aide!»
Il prit dans son nid un œuf, le cassa en deux et y cacha le jeune homme.

«Tu y es? cria la princesse.
— J'y suis!» répondit l'archer.
Elle regarda par la première fenêtre et vit tout de suite le jeune homme dans son œuf. Elle sourit :
«Va te chercher une autre cachette!»
L'archer reprit le chemin de la rivière. Alors apparut le gros poisson :
«N'aie pas peur, je vais te venir en aide!»
Il ouvrit sa gueule, avala le jeune homme et alla se poser sur le fond.
«Tu y es? cria la princesse.
— J'y suis!» répondit l'archer.
La princesse regarda par sa deuxième fenêtre et vit tout de suite le jeune homme tapi dans l'estomac du poisson. Elle ordonna aux pêcheurs de prendre l'animal au filet et dit :

«La première fois comptait pour rien, cette deuxième aussi, mais attention : à la troisième, tu risques ta tête!»

24 JUILLET

La princesse qui voyait tout

Le jeune archer marchait devant lui et ses pas le portèrent dans la profonde forêt. Des buissons sortit le renard qui lui dit :
«La princesse découvre toutes les ca-

la source et reprit l'apparence d'un jeune et bel archer. Il retourna au palais près de la princesse et celle-ci dut bien le prendre pour époux.

Deux bouchers en enfer

Il y avait une fois un boucher très riche dont le frère était fort pauvre. Il l'envoya un jour quérir pour l'aider à faire des saucisses. Il y avait une montagne de viande mais, quand ils eurent fini, le riche ne donna au pauvre qu'une toute petite saucisse. Le malheureux soupira :
«Voilà une belle récompense.»
Le frère riche lui lança une autre saucisse en criant :

chettes du monde, mais n'aie crainte, j'arriverai à te tirer d'affaire!»
Il plongea dans une source proche et en ressortit sous la forme d'un marchand ambulant dans les foires. Puis il dit au jeune homme de l'imiter et celui-ci ressortit de la source changé en un mignon petit singe. Le marchand le prit sur son épaule et se rendit au palais. Quand la princesse vit le petit singe, il lui plut tant qu'elle donna au marchand un plein sac d'écus pour qu'il le lui laisse. Avant de s'en aller, le marchand chuchota au jeune homme caché :
«Quand la princesse s'approchera de la fenêtre, dissimule-toi dans ses cheveux!»
Et quand la princesse cria encore une fois : «Tu y es?» ce fut le renard qui répondit en contrefaisant sa voix :
«J'y suis!» La princesse courut vers sa chambre enchantée, le petit animal trottant derrière elle. Quand elle se mit à la fenêtre, il se nicha dans son chignon. La princesse regarda par la fenêtre et ne vit rien. Et quand, depuis la dernière, elle n'aperçut toujours pas trace du jeune homme, elle trépigna si fort que le petit singe tomba. Il courut vers la forêt, se plongea dans

142

«Tiens, imbécile! Et porte-la au diable!»

«Allons au diable!» se dit le frère pauvre.

Il mangea une des saucisses et s'en fut à la recherche de l'enfer. Le lendemain, il arriva devant la porte de l'enfer et y vit une grand-mère diablesse en train de tricoter. Le pauvre homme la salua respectueusement et lui dit : «Mon frère le boucher m'envoie pour vous porter une saucisse.»

La grand-mère le remercia et le pria d'entrer.

«Cache-toi sous le lit, sinon mes petits-fils te feront griller!»

Quand, le lendemain matin, les diables repartirent, la grand-mère donna au pauvre homme un poil de démon en souvenir. Quand il revint chez lui, le poil se transforma en une grosse poutre en or fin. Le frère riche vint à apprendre la chance qu'avait eue son frère. Il prit alors toutes les saucisses qui lui restaient et s'en alla droit en enfer. Il s'assit au beau milieu de l'enfer et attendit l'arrivée des diables. Ils vinrent bientôt, criant :

«Nous avons faim!»

Ils se jetèrent sur le vieil avare et le mirent en pièces. Le frère pauvre hérita de toutes ses richesses.

26 JUILLET

Les habits neufs de l'empereur

Il était une fois une petite fille qui avait un piano magique. Quand elle appuya sur une touche blanche, il en sortit une petite chatte blanche, qui lui dit des contes blancs. Quand elle appuya sur une touche noire, il en sortit un petit chat noir qui lui lut des contes noirs. Écoutez donc celui-là :

Il était une fois un empereur qui était très paresseux et fort vain de sa personne. Un jour, deux coquins arrivèrent dans cet empire.

«Nous sommes tisserands et tailleurs et nous venons d'une contrée lointaine. Nous serions heureux de vous confectionner des habits. Mais nous vous mettons en garde, Votre Majesté! Ils sont invisibles pour les sots et pour ceux qui ne sont pas capables de remplir leur office.»

L'empereur eut tout de suite envie de ces habits magiques. Il fit déposer dans une chambre toute la soie, tout l'or, les perles et les diamants que les coquins réclamèrent. Les deux rusés compères enfermèrent toutes ces richesses dans leurs besaces, s'assirent devant un métier vide et firent semblant de tisser.

27 JUILLET

Les habits neufs de l'empereur

L'empereur envoya son premier mi-

afin de montrer ses habits neufs à ses fidèles sujets. Ses stupides courtisans portaient derrière lui son invisible traîne. Et tout le peuple de crier :
«Vive notre empereur! Vivent les habits neufs!»
Mais un petit enfant se prit à crier :
«Maman, l'empereur est tout nu!»
Toute l'assistance éclata d'un rire inextinguible.

Histoire de la grand-mère Fausse-Oronge

nistre en reconnaissance. Celui-ci regarda par une fente de la porte et vit les deux compagnons qui faisaient de grands gestes dans l'air, semblant passer la navette, tirer un fil invisible, couper une invisible étoffe et gémit en lui-même :
«Suis-je, Seigneur, un sot ou ne suis-je pas capable de remplir mon office?»
Devant l'empereur, il dit grands compliments des invisibles habits. Quelque temps après, les deux coquins firent savoir que les habits étaient prêts. Alors s'ouvrirent les portes et, fort cérémonieusement, entrèrent les deux coquins. Ils feignaient de porter sur leurs bras étendus de précieux habits. Tous les gens présents et l'empereur lui-même furent frappés d'un cruel étonnement parce qu'ils ne voyaient absolument rien! Mais se mirent à s'exclamer à grand bruit :
«Quelle merveille! Ah! cette coupe! Ah! ces couleurs!»
L'empereur se laissa revêtir des prétendus habits et, suivi de toute sa cour en cortège, il s'en fut par la ville

Il y avait une fois un petit vieux qui vivait avec son chat dans une chaumière de mousse. Il y régnait un grand désordre! Tous les coins étaient ornés de superbes toiles d'araignée. Un jour pourtant, le petit vieux soupira :
«Chat, cela ne peut plus durer. Il nous faut aller trouver une grand-mère qui vienne faire notre ménage.»
Ils rencontrèrent une vieille chèvre à qui ils demandèrent :
«Hé, grand-mère chèvre, veux-tu venir faire le ménage dans notre chaumière?
— Nê . . . nê . . .!» bêla la chèvre.
Le vieux s'exclama qu'elle était une

144

fainéante et ils continuèrent leur route. Ils aperçurent dans un champ un épouvantail sur lequel s'était juché un corbeau, ils le prirent pour une vieille sorcière et lui crièrent :
«Hé là, la vieille, veux-tu venir faire le ménage chez nous?»
Comme l'épouvantail ne répondait pas, le petit vieux s'exclama :
«Encore une fameuse fainéante!»
Et parce qu'ils étaient bien fatigués, ils cherchèrent une clairière d'herbe douce et se couchèrent.

29 JUILLET

Histoire de la grand-mère Fausse-Oronge

Ils entendirent alors une faible voix :
«Faites-moi sortir! Faites-moi sortir!»
Le petit vieux regarda autour de lui mais ne vit rien qu'une grosse fausse-oronge toute rouge. Il cria :
«Qui appelle?
— Moi, la grand-mère Fausse-Oronge, Le vent a coincé la porte de ma maison et je ne puis l'ouvrir!»
Le petit vieux examina de plus près le champignon. Le chat et lui tirèrent sur la clé, la porte s'ouvrit et ils virent à l'intérieur une petite chambre bien

proprette où se tenait une petite vieille grosse comme une miette. Elle avait un petit chapeau tout rouge et une petite jupe bien blanche. Le vieux lui dit :
«Enfin, nous t'avons trouvée, grand-mère, tu vas venir faire le ménage dans notre chaumière!»
Le chat et lui emmenèrent la grand-mère Fausse-Oronge à la chaumière. Elle frappa dans ses mains et de partout surgirent des petits nains coiffés d'un chapeau de champignon. Ils mirent dans les mains du petit vieux un balai et le tiraillèrent de-ci, de-là, tandis qu'il jouait du balai. D'autres saisirent le chat par la queue, s'en servant comme d'un plumeau. En un clin d'œil, la chaumière fut propre comme un sou neuf. Mais bien vite, le petit vieux et le chat renfermèrent la grand-mère Fausse-Oronge dans sa demeure et plus jamais, ils ne tentèrent de trouver une grand-mère pour leur faire leur ménage!

30 JUILLET

Le lac des pleurs

Pas très loin d'ici un lac roule dans ses flots les larmes de tous les humains qui vivent dans le monde. Quand un malheureux éprouve un grand chagrin, une petite fée des eaux s'éveille, ouvre une vanne faite d'une écaille argentée et un ruisseau de larmes va emplir les yeux de l'infortuné. La petite fée elle-même verse des pleurs qui coulent en gouttes transparentes sur son visage et dessinent à la surface du lac un cercle irisé. Et le lac ne manque jamais d'eau comme l'univers ne manque jamais de larmes. Mais voilà que surgit des profondeurs un ondin au visage plein de gaîté. Il prit un violon et se mit à jouer un petit air calme et argentin, une chanson tendre et douce comme une caresse maternelle. La petite fée des pleurs s'endormit et un sourire se dessina sur son visage. Alors le ruisseau des larmes cessa de couler; de blancs nuages emportaient des pleurs qu'on ne verserait pas.

31 JUILLET

Comment se brouillèrent la souris et la grenouille

Une souris et une grenouille vivaient ensemble près d'une source glacée. Un jour, la grenouille vint puiser de l'eau.

Sur l'eau se reflétaient les étoiles, étincelant comme des pierres précieuses. La grenouille cria :
«Commère souris, viens voir comme nous sommes riches!»
La souris, accourue, ayant réfléchi, dit à sa compagne :
«Commère grenouille, il nous faut monter la garde à tour de rôle, qu'on ne vienne pas nous dérober notre trésor.»
Elles veillèrent jusqu'à l'aurore, la souris étant la dernière. Peut-être céda-t-elle un moment au sommeil mais, au matin, plus de trésor!
«Commère, cria la souris, folle de rage, tu as volé le trésor de la source!
— Moi! répliqua l'autre. Mais c'est toi qui as monté la garde la dernière! C'est toi qui m'as tout pris!»
Grande dispute! La souris et la grenouille se brouillèrent pour de bon. Pauvres sottes, le soir, le trésor reparut sur les eaux de la source!

AOÛT

soc. Il regarda et trouva un mortier d'or pur. Il le ramassa et dit :
«Je m'en vais le porter au roi pour le remercier de sa générosité.»
Son intelligente fille le mit en garde :
«Père, si vous portez le mortier au roi, il vous réclamera le pilon. Il vaut mieux ne rien dire!»
Mais le paysan porta le mortier au roi qui dit, l'air sévère :
«Et où est le pilon?»
Le malheureux paysan expliqua qu'il ne l'avait pas trouvé mais le roi le fit mettre en prison. Et l'infortuné de gémir :
«Ah! si j'avais écouté ma fille!»
Le roi l'entendit et le fit venir :
«Pourquoi parles-tu toujours de ta fille?»
Le paysan raconta au roi ce qu'elle lui avait dit, le roi réfléchit et continua :
«Hé bien, fais-la venir. Si elle est vraiment très intelligente et trouve ma devinette, je la prendrai pour femme.»

2 AOÛT

L'astucieuse fille du paysan

Le lendemain, la jeune fille se présenta et le roi lui déclara :
«Je tiendrai mes promesses et je t'épouserai si demain tu viens, ni nue ni habillée, ni à cheval ni en voiture et ni sur le chemin ni en dehors du chemin!»
Le lendemain matin, la jeune fille quitta ses vêtements, donc elle n'était pas habillée; elle s'enveloppa dans un grand filet, elle n'était donc pas nue. Elle attacha le filet à la queue d'un âne. L'âne la traîna dans le fossé jusqu'au palais. Elle n'alla donc ni à che-

1er AOÛT

L'astucieuse fille du paysan

Il y avait une fois un pauvre paysan qui avait une fille très maligne. Un jour, il soupira :
«Si seulement le roi pouvait nous donner un petit champ, pour que nous ne mourions pas de faim!»
Cela arriva aux oreilles du roi qui exauça le vœu du paysan. Un jour qu'il labourait, quelque chose sonna sous le

bœufs l'y trouva au matin, il réclama le poulain. D'où dispute avec le propriétaire de la jument. Le roi les entendit et trancha :

«Le poulain appartient à celui qui l'a trouvé parmi ses animaux.»

La reine fit venir en secret le paysan lésé et lui dit :

«Je te dirai comment faire pour recouvrer ton poulain.»

Puis elle murmura quelque chose au paysan qui, le lendemain, prit place au milieu de la route, devant le palais, tenant une ligne à la main et faisant mine de pêcher.

«Pauvre sot! lui cria le roi de sa fenêtre. Il n'y a pas d'eau! Comment pourrais-tu pêcher des poissons?

— Si, répondit le paysan, des bœufs peuvent mettre bas un poulain, pourquoi ne pourrais-je pêcher au sec?»

Le roi comprit alors que c'était là un

conseil de la reine. Il se fâcha :

«Demain, tu retourneras d'où tu viens. Tu pourras seulement emporter ce que tu as de plus cher en ce palais.»

La maligne reine, après les adieux, transporta le roi pendant son sommeil dans son ancienne chaumière. Quand le roi s'éveilla, elle lui dit en souriant :

«Ce qui m'était le plus cher au palais, c'était toi. Je t'ai emporté en souvenir!»

A ces mots, le roi sentit qu'il aimait encore tendrement sa femme et il la reconduisit avec lui au palais.

val, ni en voiture, ni sur la route, ni en dehors de la route. Le roi la vit arriver de sa fenêtre, éclata de rire et dit :

«Tu es vraiment une jeune fille fort avisée, tu mérites d'être reine. Mais entendons-nous bien : je ne veux pas que tu te mêles de mes royales affaires!»

C'est ainsi que la jeune paysanne s'assit bientôt sur le trône aux côtés du roi.

3 AOÛT

L'astucieuse fille du paysan

Un jour se tint une grande foire. Pendant la nuit, une jument mit bas un joli poulain et celui-ci alla se coucher entre les deux bœufs d'un autre marchand. Quand le propriétaire des

4 AOÛT

Les trois présents magiques

Un soldat libéré avait reçu du roi cinq sous. Il arriva au bord d'un étang. Sur l'eau, il vit une table autour de laquelle étaient assis quatre ondins.
«Aie pitié de nous, gémirent-ils. Nous n'avons plus de tabac et il ne reste plus une goutte de vin au fond de notre cruche !»
Le soldat dit :
«Tenez, voilà un sou pour chacun, vous êtes ainsi plus riches que moi!»
Les ondins lui prodiguèrent force remerciements et le plus vieux dit :
«Tu as si bon cœur, mon fils, que tu peux me demander trois choses. Nous exaucerons tes vœux.»
Le soldat dit :
«Hé bien, donnez-moi une pipe qui fume toujours, des cartes avec lesquelles on ne perd jamais et, par-dessus le marché, un sac où tout ce qui l'approchera sera enfermé quand je

dirai : ''Entre dedans!''»
Les ondins donnèrent au soldat ce qu'il avait demandé et celui-ci reprit la route.

5 AOÛT

Les trois présents magiques

Le soir, il arriva à une auberge et dit à l'aubergiste :
«Prenez mon dernier sou et laissez-moi un coin où dormir cette nuit.»
L'aubergiste se rembrunit et lui dit :
«Tu as frappé à la mauvaise porte! Les diables se donnent ici rendez-vous chaque nuit. Moi-même, je préfère aller dormir ailleurs. Si tu veux rester ici, restes-y, mais pour rien!»

Le soldat remercia, il s'étendit sur un banc et se mit à ronfler. A peine onze coups avaient-ils sonné que, par la cheminée, arrivèrent des diables. Ils se précipitèrent sur le soldat :
«Viens jouer aux cartes avec nous, sinon nous te mettons en pièces!
— On y va, on y va!» ricana le soldat.
Il sortit ses cartes magiques et ils se mirent à jouer. En une seconde, les diables avaient perdu tous leurs écus

sataniques. Ils étaient furieux :
«Pour te punir, nous allons t'emporter en enfer!»
Le soldat sortit son sac en criant : «Rentre dedans!» et toute l'infernale compagnie y fut enfermée. Le matin, l'aubergiste fut bien étonné de retrouver le soldat en vie. Celui-ci lui montra le vieux sac et lui recommanda d'y administrer des coups de bâton. A la fin, le soldat fit grâce aux diables et ouvrit le sac. Ils ne demandèrent pas leur reste et filèrent droit en enfer.

6 AOÛT

Les trois présents magiques

Le soldat continua son errance. Mais le temps passait, les années s'écoulaient et le brave homme vieillissait. Et voilà qu'un beau jour, sous un vieux poirier, il rencontra commère la Mort! Elle ressemblait à une chauve-souris. Elle grommela :
«Je viens te prendre!»
Mais le soldat n'avait aucune envie de quitter ce bas-monde. Il posa son sac magique par terre et cria :
«Rentre dedans, ma commère!»
Et voilà la Mort prise au piège! Le soldat jeta le sac au fond d'un puits.
De ce jour, aucun être vivant ne mourut plus et il y eut tant de gens sur la

terre qu'on se demande pourquoi ils ne se mangèrent pas entre eux.
«Ça ne va pas», se dit le soldat.
Il libéra la Mort et elle s'empara aussitôt de lui. Voilà donc le soldat sans vie. Son âme se dirigea vers le Paradis, mais saint Pierre ne voulut pas laisser entrer le soldat. Aussi fut-il bien content de rencontrer l'âme d'un curé.
«Mon Père, lui demande-t-il, portezmoi donc ce sac dans les cieux!»
Le curé accepta et, dès qu'il eut fait trois pas, le soldat se mit l'index contre la poitrine en criant : «Rentre dedans!» et l'y voilà enfermé. Le pauvre curé peina fort pour le porter jusqu'à la porte des cieux. Et voilà comment le soldat entra au Paradis.

7 AOÛT

Nicolas, le petit garçon des bois

Nicolas, le petit garçon, vivait dans les bois chez un cerf à la ramure d'or. Quand il restait seul au logis, il jouait de son petit violon et tous les oiseaux des bois chantaient à l'unisson.

D'autres fois, il se promenait à travers sa chambre sur la queue de son écureuil familier. Le cerf partait tous les jours à la pâture et, chaque fois, recommandait bien à Nicolas de n'ouvrir jamais à personne. Mais un jour, on frappa à la porte et de dehors s'élevèrent d'agréables voix :

«Nicolas, mon petit, ouvre-nous! Nous ne passerons que deux doigts, nous nous réchaufferons juste un peu et puis nous nous en irons.»

Nicolas n'ouvrit pas. Quand il raconta cela au cerf, celui-ci le félicita :

«Tu as très bien fait! C'étaient les cruelles fées des grottes. Si tu avais ouvert, elles t'auraient emporté dans leur repaire et t'auraient fait rôtir.»

Nicolas se serra tendrement contre son cerf qui lui raconta une histoire.

Nicolas, le petit garçon des bois

Le lendemain matin, le cerf aux bois d'or s'en fut à la pâture. Alors, derrière la porte, se firent entendre les mêmes agréables voix que la veille. Nicolas aurait bien aimé voir les fées des grottes, mais il n'ouvrit pas. Alors les fées se mirent à pleurer, elles tremblaient de froid, et Nicolas se sentit tout ému. Il oublia les sages conseils du cerf et entrouvrit un tout petit peu la porte pour que les fées puissent y passer deux doigts. A peine l'avait-il fait que les fées passèrent deux doigts, puis toute la main, puis surgirent dans la salle, se saisirent de Nicolas et l'emportèrent vers la forêt. Mais Nicolas se mit à jouer une triste complainte sur son violon.

Le cerf aux bois d'or l'entendit, fila comme le vent, prit Nicolas sur sa ramure et l'emporta en sûreté. Arrivé à la maison, il le tança vertement :

«N'ouvre plus jamais à personne!» lui recommanda-t-il de nouveau quand il se fut un peu calmé.

Nicolas, le petit garçon des bois

Bientôt, les mêmes voix se firent entendre :

«Nicolas, cher garçon, ouvre-nous!»

Nicolas fit semblant de ne pas entendre. Mais les fées des grottes se mirent à pleurer lamentablement puis lui promirent qu'elles joueraient avec lui et il se laissa encore une fois convaincre. Les fées des grottes alors l'attra-

pèrent et s'enfuirent, l'emportant vers les bois. Nicolas se mit à pleurer, il appela à grands cris le cerf à la ramure d'or, mais celui-ci se trouvait si loin qu'il n'entendit pas ses appels. Les fées des grottes l'emportèrent jusque dans leur repaire. Il s'y trouva très bien. Les fées le gâtaient, lui donnaient à manger de bons petits plats sucrés pour qu'il engraisse bien avant qu'elles ne le fassent rôtir. Quand il fut bien dodu, elles se disposaient à le mettre au four mais Nicolas les supplia en pleurant de le laisser une dernière fois jouer du violon. Quand elles eurent accepté, il se mit à chanter une chanson désespérée.

Alors, comme une tempête, surgit le cerf aux bois d'or, il culbuta les fées des grottes et remporta le petit désobéissant à la maison. Nicolas reçut ce qu'il avait mérité et ne l'oublia de sa vie! Plus jamais il n'ouvrit la porte à qui que ce soit!

10 AOÛT

La belle aux cheveux d'or

Il était une fois un roi, à qui un nain barbu qui portait un poisson sur un plateau, dit :

«Sire, je suis le serviteur de la reine des poissons. Si tu manges celui-là, tu comprendras le langage de tous les animaux.»

Le nain disparut et le roi ordonna à Jeannot, son marmiton, de lui cuire le poisson, mais lui défendit d'en goûter. Profitant qu'on ne le voyait pas, Jeannot croqua un petit bout de la queue du poisson. A ce moment, deux mouches se mirent à voleter autour de lui, demandant :

«Laisse-nous un petit morceau! Laisse-nous un petit morceau!»

Jeannot fut bien étonné de les comprendre.

11 AOÛT

La belle aux cheveux d'or

Le roi appela Jeannot et lui demanda s'il avait goûté au poisson.

«Je vais te mettre à l'épreuve, dit-il, verse-moi du vin dans ce gobelet.

Mais attention, si tu ne le remplis pas à ras bord ou si tu le fais déborder, je te ferai couper la tête.»

Il ouvrit la fenêtre et deux oiseaux entrèrent dans la chambre. Le premier portait en son bec trois fils d'or et gazouillait :

«Ce sont les cheveux de la Belle aux cheveux d'or.

— Montre, montre!» cria le deuxième. Et il poursuivit son compagnon en voletant de-ci, de-là! Jeannot les écoutait et les suivait du regard et il fit déborder le gobelet :

«Tu t'es trahi! cria le roi. Mais je veux bien te donner une chance. Si tu me ramènes au palais la belle princesse aux cheveux d'or, tu obtiendras ma grâce!»

Et Jeannot dut bien s'en aller chercher la princesse. Il arriva bientôt dans une noire forêt. Sous un arbre, deux petits corbeaux, tombés du nid, l'appelèrent à l'aide. Jeannot les remit dans le nid et les deux oisillons croassèrent :

«Si un jour tu as besoin de nous, appelle-nous.»

Jeannot continua sa route. Il arriva sur le rivage d'une sombre mer. Deux pêcheurs s'y disputaient un petit poisson. Jeannot le leur acheta pour deux ducats d'or et le remit à l'eau.

«Si un jour tu as besoin de moi, appelle-moi!» lui cria le petit poisson avant de disparaître.

12 AOÛT

La belle aux cheveux d'or

Le pauvre Jeannot erra longtemps et enfin il arriva devant un palais qui se mirait dans un grand étang. Le roi qui y régnait s'appelait Toutpetit et n'était pas plus grand que le petit doigt. Il avait douze filles, toutes plus belles l'une que l'autre mais la plus belle était la princesse aux cheveux d'or. Quand le roi Toutpetit apprit ce qui amenait Jeannot, il lui dit :

«Entendu, je veux bien donner ma fille

aux cheveux d'or au roi ton maître. Mais, avant de l'emmener, il te faut accomplir trois tâches. Ce matin, en se baignant dans la mer immense, Cheveux d'or y a perdu son anneau. Va le chercher!»

Jeannot longeait tristement le rivage et pensait :

«Si seulement, mon ami le petit poisson était là!»

A ce moment, le petit poisson sortit des flots tenant dans sa gueule l'anneau de la princesse. Le roi Toutpetit fut très content et dit :

«Si tu veux emmener Cheveux d'or, va me chercher dans la source du bout

du monde l'élixir de vie et l'élixir de mort!»

Comment pourrais-je aller jusqu'à la fin du monde? se dit l'infortuné Jeannot. Ah! si mes petits amis les corbeaux étaient là!»

A peine avait-il formulé sa pensée qu'il vit venir une troupe de corbeaux qui portaient, dans deux gourdes, l'élixir de vie et l'élixir de mort. En chemin, il vit une araignée qui avait

tué une mouche d'or et la tenait prisonnière dans sa toile. Il versa sur la pauvre mouche une goutte d'élixir de vie et la remit en liberté :

«Si un jour tu as besoin de moi, appelle-moi!» lui cria-t-elle.

Jeannot se présenta devant le roi Toutpetit.

13 AOÛT

La belle aux cheveux d'or

Le roi Toutpetit félicita Jeannot :

«Tu es vraiment un jeune homme courageux! Mais si tu veux emmener ma fille aux cheveux d'or, il te faut la reconnaître parmi ses onze sœurs.»

Il fit entrer Jeannot dans une chambre où se tenaient douze jeunes filles. Sur quoi, Jeannot entendit au-dessus de sa tête la mouche d'or qu'il avait rendue à la vie. Elle allait de l'une à l'autre.

«C'est celle-là!» cria Jeannot, tout à coup.

La mouche s'était en effet posée sur le voile d'une des jeunes filles.

Le roi Toutpetit dut bien se séparer de

la plus aimée de ses filles : un roi doit tenir ses promesses. Quand Jeannot arriva, amenant la princesse aux cheveux d'or à son maître, celui-ci la trouva si belle qu'il faillit s'en pâmer. Puis il dit à Jeannot :
«Tu es si courageux que tu seras roi. » Et, de tous les rois, c'était lui qui avait la plus belle épouse.

14 AOÛT

Un cochon gigantesque

Il était une fois un paysan qui trouva un cochon en porcelaine. Pour rire, il l'installa dans l'étable et recommanda aux valets de bien le nourrir. Quand cela se sut, les gens du village se moquèrent de lui :
«Voyez-moi cet homme cupide qui veut engraisser un cochon en porcelaine!»
Mais le cochon grossit tellement qu'il démolit la soue! Le paysan l'installa dans la salle et lui offrit un baquet de châtaignes. Le cochon engraissa et démolit toute la maison. Le paysan mit son cochon dans la grange. Il lui offrit une voiturée de pommes de terre. Le cochon engraissa et finit par démolir tous les biens du paysan. Il fit venir le boucher pour qu'il lui fasse des saucisses en porcelaine mais le cochon goba le boucher comme une mouche. Puis il goba le valet, la servante, le chasseur et tout un escadron de dragons à cheval. Finalement, on fit venir l'artillerie royale et les canons tirèrent toute la journée, puis toute la nuit, avant de parvenir à abattre le cochon et à libérer tous les malheureux.

Le paysan ne possédait plus que des débris de porcelaine mais il y trouva un petit cochon en procelaine. Cette fois, il n'essaya pas de l'engraisser. Il s'en servit pour garder les petits sous qu'il économisait pour s'acheter un habit neuf.

15 AOÛT

Le plus grand sot du monde

Il était une fois un heureux pays où régnait un roi qui riait de tout et qui ne pensait qu'à faire des farces et des plaisanteries. Ce roi décida un jour de marier sa fille à qui lui amènerait le plus grand sot du monde. Un bon fripon vint à l'apprendre et se dit :
«Je vais aller à l'aventure chercher ce plus grand sot et ce serait bien étonnant si je ne le découvrais pas.»
Il vit un homme qui tentait d'atteler son cheval à sa voiture, la queue en avant. Le fripon se mit à rire :
«Qu'est-ce que tu fais-là, pauvre fou?
— Comment, qu'est-ce que je fais? Il faut que je m'en retourne chez nous.
— Mais pourquoi n'as-tu pas fait tourner ta voiture au carrefour? demanda le jeune homme.
— Voyez-vous ça! s'exclama l'homme. Je n'y ai pas pensé! Merci de ton bon conseil. En récompense, je te donne ma voiture, je n'habite pas loin et je peux retourner à pied.»
Le bon fripon répondit :
«Puisque tu ne veux pas en démordre, j'accepte ton présent mais prends place à l'arrière et je te reconduirai chez toi.»
Le pauvre sot le remercia, les larmes aux yeux.

16 AOÛT

Le plus grand sot du monde

Le fripon, dans sa charrette, n'avait pas fait un long chemin quand se présenta devant lui un étrange spectacle. Un jeune garçon tentait de faire grimper son cochon à un gros chêne. Il le tança :
«Pourquoi tourmentes-tu ce pauvre animal?
— Faut-il le laisser mourir de faim? Je veux qu'il monte chercher des glands!
— Et pourquoi ne les fais-tu pas tomber par terre en secouant l'arbre?
— Voyez-vous ça! Je n'y ai pas pensé, répondit le jeune paysan, tout content. Merci, étranger, de ton bon conseil.»
Il se dit que celui-là était encore plus bête que le premier et il l'invita à monter dans sa voiture. Ils arrivèrent près d'une rivière et virent un pêcheur dans sa barque. Chaque fois qu'un

poisson se prenait au hameçon, le pêcheur quittait ses habits, se jetait à l'eau pour le rapporter. Le fripon lui demanda :

«Mais pourquoi ne le tires-tu pas avec ta ligne pour le mettre dans la barque?

— Voyez-vous ça! s'exclama l'autre. Je n'y ai pas pensé! Merci de cette bonne idée.»

Je ne trouverai jamais un sot plus sot que celui-là, se dit le jeune homme.

17 AOÛT

Le plus grand sot du monde

En s'en allant chez le roi, notre fripon et ses compagnons traversèrent une ville tout à fait extraordinaire. La place était couverte d'une foule de gens affairés. Un des habitants expliqua au jeune homme :

«Nous avons construit une mairie neuve mais il y fait toujours sombre comme dans un four.

— Mais, pauvres sots, répondit le fripon, vous avez oublié les fenêtres.

— Nous n'y avions pas pensé! Nous voudrions pousser un peu notre mairie, l'ayant construite au milieu de la route.»

Le jeune fripon se disait :

«Des sots, il y en a partout! A quoi bon chercher le plus sot des sots? Il vaut mieux pour moi me fixer dans cette ville et en devenir maire. Les sots sont faciles à gouverner.»

Il ne retourna jamais dans le joyeux pays de ce roi si gai. Il est toujours maire de la ville.

18 AOÛT

La princesse qui n'avait peur de rien

Il était une fois un pauvre garçon de

158

village qui avait nom Kouba et dont le sort n'était pas très heureux. Aucune fille, dans le village, ne lui avait jamais accordé le moindre regard. Et le malheureux Kouba vivait seul dans sa chaumière de pisé, sous un buisson d'églantier. Pour charmer sa solitude, il avait adopté une petite souris et il l'emmenait dans sa poche, partout où il allait. Un jour, son voisin l'appela : «Mon ami, le cœur me fend à voir comme tu pâtis! Je te donne mon vieux cor. Ce n'est pas un instrument ordinaire. Quand tu en joueras, tous ceux qui t'entendront te suivront.» Kouba remercia, prit le cor et s'en fut à l'aventure. Quand il jouait, les gens s'attachaient à lui et le suivaient en procession.

«Mon compère m'a fait là un charmant cadeau, se disait Kouba. J'en ai assez de voir tout ce monde qui marche sur mes talons. J'aime mieux ne plus souffler dans ce maudit cor!» Il cessa de jouer, s'étendit sur l'herbe, et se mit à dormir comme un bienheureux.

19 AOÛT

La princesse qui n'avait peur de rien

Kouba s'éveilla à minuit juste. Partout dans le bois, brûlaient de petits feux et une foule d'êtres surnaturels arrivaient de partout dans la clairière. Kouba tremblait de peur. Un ondin rapporta :
«Savez-vous que dans le bois des épouvantes vit une princesse qui n'a peur de rien, même pas du diable! Déjà un dragon à sept têtes, un chevalier

décapité et même un maître d'école ont essayé de l'effrayer, elle n'a fait qu'en rire en disant qu'elle ne leur trouvait rien de si terrible! Elle a même ajouté qu'elle épouserait seulement celui qui réussirait à lui faire peur!»
Kouba écoutait, ne soufflant mot, mais se disait :
«Tiens, tiens! Cela m'irait assez de devenir roi!»
Il prit son cor, l'emboucha et souffla dedans de toutes ses forces. Tous se ruèrent vers lui et le brave Kouba, sans s'émouvoir, se mit en marche vers le palais, suivi de sa procession surnaturelle.

20 AOÛT

La princesse qui n'avait peur de rien

Mais les prétendants ne savaient vraiment pas comment réussir à effrayer cette princesse téméraire! A ce moment, entra dans la chambre Kouba jouant du cor et tout son effroyable cortège, il cria :
«Hé, princesse, je vais te faire peur!»

159

Et tous les esprits des bois se mirent à hurler et vociférer, à faire des culbutes, à vomir du feu, enfin à exécuter tous leurs plus épouvantables exercices! Les princes et les chevaliers présents, fous de peur, s'éparpillèrent. Mais la princesse se mit à rire et à battre des mains :

«Bravo! Bravo! Quelles charmantes

petites créatures! De ma vie je ne me suis tant amusée!»

Kouba en resta penaud et se dit, lui aussi, qu'il n'y avait rien à faire! Mais la princesse riait si fort qu'elle en cassa son collier et une perle roula par terre jusque sous ses jupes. La petite souris, qui avait sorti sa tête de la poche de Kouba pour regarder le spectacle, sauta par terre et poursuivit la perle; et la voilà sous les jupes de la princesse qui se mit à crier, épouvantée :

«Au secours! A l'aide! Une souris!»

Et elle tomba raide, évanouie de terreur! Quand elle reprit ses sens, elle soupira :

«Ah! Kouba, que tu m'as fait peur! Je te prends pour époux!»

Et voilà comment le pauvre Kouba devint roi.

Petit-Jean et Marinette

Il était une fois un pauvre bûcheron qui vivait dans une cabane au milieu des bois. Il était resté seul avec ses deux enfants, Petit-Jean et Marinette. Puis, il se remaria pour qu'il y eut quelqu'un qui prenne soin des deux petits. Cette année-là, on connut une grande disette et un soir, quand ils furent tous couchés, la belle-mère dit à son mari :

«Mon homme, si ça continue ainsi, nous mourrons tous de faim! Mieux vaudrait emmener les enfants dans le bois et les y perdre, sans doute le bon Dieu viendrait à leur secours!»

Le brave homme n'en voulut rien entendre d'abord mais à la fin, les larmes aux yeux, il se résigna. Les enfants avaient tout entendu. Marinette éclata en sanglots mais Petit-Jean la rassura, disant :

«Je trouverai bien un moyen de nous tirer d'affaire.»

Quand les parents furent endormis, il

sortit et ramassa des cailloux brillants dont il emplit ses poches.

Le lendemain, dès l'aube, la belle-mère réveilla les enfants, leur donna à chacun une mince tranche de pain et leur dit de se préparer à partir pour les bois :

«Nous allons faire des fagots», dit-elle.

22 AOÛT

Petit-Jean et Marinette

En route, Petit-Jean traînait derrière et observait les alentours. Son père lui demanda :

«Pourquoi flâner ainsi, Petit-Jean?» Cependant, il semait sur le sentier ses petits cailloux. Mais sa belle-mère le rabroua.

Ils s'avancèrent au plus profond des bois, puis le père alluma un petit feu et dit aux enfants d'attendre là pendant que sa femme et lui allaient couper du bois. Marinette et Petit-Jean passèrent un long moment à cueillir des fraises puis, ils s'assirent auprès du feu. Bientôt, la fatigue ferma leurs paupières et ils s'endormirent. Quand ils s'éveillèrent, il faisait déjà nuit mais la lune parut dans le ciel et, entre les arbres, ils virent briller les cailloux sur le chemin. Petit-Jean et Marinette se prirent par la main et, suivant le sentier argenté, rentrèrent sains et saufs à la chaumière.

23 AOÛT

Petit-Jean et Marinette

Quelques jours après, les enfants en- tendirent à nouveau la belle-mère ex- pliquer à leur père qu'il fallait les em- mener encore plus loin dans les bois. Elle se lamentait :

«Si nous ne perdons pas les enfants, nous serons tous morts avant peu!» Le malheureux bûcheron finit par se rendre à ses raisons. Dès que les pa- rents furent endormis, Marinette pleu- rait mais son frère la calma, l'assurant que, le lendemain matin, il trouverait bien un moyen. Quand leur belle-mère les éveilla pour partir au bois elle leur donna une tartine encore plus mince que la première fois. Petit-Jean la ré- duisit en miettes dans sa poche et, traînant, derrière, sema ses miettes sur le chemin.

Ils arrivèrent au plus épais des bois et leur belle-mère leur enjoignit, cette fois encore, de les attendre auprès du feu. Les enfants s'étendirent dans l'herbe et s'endormirent. Quand ils s'éveillèrent, eil ils se trouvèrent dans de profondes ténèbres. Petit-Jean donna du courage à sa sœur :

«N'aie pas peur! Quand la lune se lèvera , nous verrons les miettes que j'ai semées et nous retournerons chez nous.»

24 AOÛT

Petit-Jean et Marinette

La lune se leva au-dessus des sombres bois, mais les enfants ne virent pas les miettes car les oiseaux des bois les avaient picorées. Petit-Jean ne perdit pas courage et dit à Marinette :
«Sois tranquille, petite sœur, je retrouverai notre chemin. »
Finalement les enfants se couchèrent sur la fougère, dans les bras l'un de l'autre et ils pleurèrent tant qu'ils s'endormirent. Quand ils s'éveillèrent, à l'aurore, ils virent un bel oiseau blanc qui voletait auprès d'eux, il chantait doucement et semblait leur montrer la route si gentiment que les enfants le suivirent. Ils arrivèrent dans une clairière où s'élevait une chaumière. Et comme elle sentait bon! Petit-Jean s'écria :
«Regarde, Marinette! Les murs sont en gâteau et le toit en pain d'épice!

Et les fenêtres en sucre! cria à son tour Marinette.
— Bon, dit Petit-Jean, je vais casser un morceau des murs et toi, tu mangeras un bout de la fenêtre.»

25 AOÛT

Petit-Jean et Marinette

Ils étaient très occupés, quand la porte s'ouvrit et parut sur le seuil une petite vieille toute ridée et qui s'appuyait sur une béquille. Elle s'exclama :
«Hé bien! Hé bien! Comment êtes-vous arrivés ici? Entrez, entrez, vous serez bien chez moi.»
Elle prit les enfants par la main, les conduisit à table et les régala de bons petits plats. Puis, le soir venu, les cou-

cha dans un lit de plumes. Mais, le lendemain, matin, la vieille saisit Petit-Jean, l'enferma dans l'étable avant de le rôtir et de le manger. Elle ordonna à Marinette d'allumer le feu et lui dit :

«Entre dans le four, pour voir s'il est assez chaud!»

Mais Marinette dit qu'elle ne savait pas, que la porte était trop petite. La sorcière se mit en colère :

«Je vais te montrer, petite sotte!»

Elle entra la tête dans le four, Marinette la poussa très fort et ferma la porte. Voilà la méchante vieille enfermée. Marinette délivra Petit-Jean, ils cassèrent un morceau du toit, prirent dans le coffre de l'or et des pierres précieuses et s'enfuirent. Ils ne seraient jamais arrivés jusque chez eux si un beau canard blanc ne leur avait fait traverser un lac enchanté. Quelle joie quand ils retrouvèrent leur père! La mauvaise belle-mère était morte entre-temps et ils vécurent bien heureux tous les trois.

Le petit ondin Brinlinlin

Il était une fois un petit ondin qui avait nom Brinlinlin. Tout le jour, il dormait au fond de l'étang. Quand le soir tombait et que se montrait la lune, Papa ondin envoyait Brinlinlin, encore tout ensommeillé, à l'école. Où se tenait l'école? Sous un vieux saule, près de l'étang. Le petit ondin s'asseyait à sa place, ouvrait son livre ondinier et repassait ses leçons ondinières. Il y avait tout dans ce livre, de A jusqu'à Z! Comment arrêter la roue du moulin, comment allumer les feux follets, comment faire monter la brume sur l'étang et encore une foule de choses! Mais il faut dire que le petit ondin Brinlinlin n'aimait pas trop l'école. Un jour, qu'il bayait aux corneilles, assis à sa place, il entendit une petite voix qui murmurait :

«Apprends-moi à lire! Apprends-moi à lire!»

Brinlinlin se pencha et vit une jolie toute petite créature dans un habit de grenouille, avec des yeux de grenouille et qui lui faisait un sourire de grenouille. Le petit ondin trouva la charmante grenouille fort à son goût et il lui promit de lui apprendre à lire dès le lendemain.

Le petit ondin Brinlinlin

La demoiselle grenouille était douée pour l'étude, à miracle! Papa ondin, sortit la tête du marécage et s'écria :

«Mes amis, voilà qui ferait une épouse

Le petit ondin Brinlinlin

La petite grenouille fut très fâchée et déclara :

«Sans-doute n'as-tu pas assez étudié, grand paresseux! Jamais je ne serai ta femme!»

Brinlinlin s'en alla. Il rencontra une souris à qui il confia ses ennuis et qui lui répondit :

«Si tu m'aides à rentrer tout ce grain dans ma demeure, je te dirai comment trouver l'obscurité dans les noisettes. »

pour mon fils, verte comme un petit pois, mince comme un brin d'herbe! Une beauté accomplie!»

Il en parla avec son fils qui était bien d'accord. Pourquoi ne se serait-il pas marié? N'était-il pas âgé exactement de trois ans, trois mois, trois semaines et trois jours, ce qui est le bon temps pour le mariage. Aussi quand la petite grenouille arriva pour prendre sa leçon, il lui demanda sa main. Elle eut un petit rire qui sonna comme une clochette d'argent et répondit :

«Je me marierai volontiers avec toi si tu fais ce que je te demande.»

Elle tira de la poche de son tablier trois petites noisettes :

«Casse, dit-elle, ces trois noisettes et prends-y l'obscurité, puis tu m'en coudras un manteau fourré pour que je n'aie pas froid au fond de l'eau.»

Le petit ondin Brinlinlin faisait triste mine et saisit quand même une pierre et cassa les coquilles mais il n'y trouva pas l'obscurité. Il pensa que peut-être il y avait quelque chose d'écrit là-dessus dans son livre ondinier. Il le prit et l'étudia. Bientôt, il le sut par cœur à l'endroit et à l'envers, mais il n'y trouva pas le moyen de prendre l'obscurité dans les noisettes.

Mais quand ils eurent rentré tout le grain, la souris se moqua du petit ondin :

«Grand sot, un incapable ne peut rien apprendre!»

Le pauvre Brinlinlin rencontra ensuite un hérisson qui promit :

«Si tu m'aides à nettoyer ma maison, je te le dirai!»

Brinlinlin se mit au travail! Mais le hérisson aussi se moqua de lui! Il en fut de même avec compère renard, avec l'écureuil, avec commère la chèvre et avec le cerf aux beaux bois. Il les aida tous et tous se moquèrent de lui. Finalement, il dit à sa petite grenouille :

«Je sais faire tout au monde : rentrer le grain, nettoyer les maisons, écosser les pois, sécher le foin, nourrir les cerfs, mais je ne sais pas trouver l'obscurité dans les noisettes!»
La petite grenouille lui répondit avec un doux sourire :
«Je veux bien devenir ta femme car tu as acquis la plus précieuse sagesse : ne pas chercher l'impossible et apprendre tout ce qui est utile!»
La petit ondin Brinlinlin épousa donc sa petite grenouille.

29 AOÛT

Les trois fileuses

Il était une fois une brave femme, fileuse de son état, qui avait une fille affreusement paresseuse. Impossible de la tenir au rouet! La reine vint à passer et demanda à la mère pourquoi cette pauvre enfant pleurait. La mère répondit :
«Parce que je ne puis lui faire quitter l'ouvrage! Elle veut toujours filer, filer et filer!»
La reine regarda la jeune fille et dit :
«Filer est mon plus grand plaisir. Le bruit du rouet sonne à mon oreille comme la plus belle des chansons.»
Et elle demanda à la mère de laisser sa fille la suivre au palais, ce que celle-ci accepta volontiers. Au palais,

la reine conduisit la jeune fille dans trois chambres qui étaient remplies de lin du plancher au plafond et dit :
«Quand tu auras tout filé, je te ferai épouser mon fils aîné. Une femme diligente vaut mieux qu'une riche héritière.»
La jeune fille était désespérée. Eût-elle travaillé jusqu'au jour de sa mort, qu'elle n'aurait pas filé une telle quantité de lin!

30 AOÛT

Les trois fileuses

Comme la jeune fille pleurait, elle aperçut sous la fenêtre trois femmes bien étranges. L'une avait un pied difforme, gros comme la roue du moulin; la deuxième, une lèvre inférieure pendante qui lui couvrait le menton; la troisième, le pouce large comme la pelle du boulanger.
La jeune fille leur conta ses malheurs et les trois femmes lui répondirent avec un bon sourire :
«Si tu nous invites à tes noces, sans avoir honte de nous, si tu dis que nous sommes tes tantes, nous te filerons

tout le lin en un clin d'œil.»
La jeune fille promit et fit entrer les trois étranges créatures au palais. Dès qu'elles furent arrivées dans la première chambre et se furent installées, le rouet fit entendre sa belle chanson. La vieille au gros pied appuyait sur la pédale, la vieille à la grosse lèvre mouillait le fil et la vieille au gros pouce jetait les écheveaux sur la table. Elles filèrent la nuit durant!

31 AOÛT

Les trois fileuses

Au petit matin, le lin des trois chambres était entièrement filé. Les trois vieilles prirent congé de la jeune fille en lui rappelant :
«N'oublie pas ce que tu nous a promis! Il en va de ton bonheur!»
Quand la reine vit cette montagne de fil superbe, elle n'hésita plus et fit préparer les noces. Le prince lui-même était bien heureux d'épouser une fille si belle et si laborieuse. Cependant la jeune fille s'enhardit et demanda :
«J'ai trois tantes, Madame la Reine, qui ont toujours été bonnes avec moi et je voudrais les en remercier. Permettez-moi de les inviter aux noces.»
La reine et le prince le permirent bien volontiers. Vint le jour des noces. Alors, entrèrent dans la salle d'honneur les trois fileuses, vêtues de beaux habits.
«Soyez les bienvenues, mes chères tantes», leur dit la princesse.
Mais le prince ne souriait pas :
«D'où sortent ces horreurs?» se disait-il.
Il apprit qu'elles étaient fileuses.
«Plus jamais, s'écria le prince épouvanté, je ne veux voir ma jolie fiancée assise à un rouet!»

SEPTEMBRE

Le petit garçon qui cherchait ses yeux

Il y avait une fois un petit garçon qui pleurait tout le temps. Cela tourmentait fort sa gentille mère. Un jour, elle en eut assez et lui dit :
«Fais attention, éternel pleurnicheur! Pendant la nuit, viennent des.nains qui vous enlèvent les yeux de la tête et les emportent loin, jusqu'à la fontaine du bois secret où monte la garde le serpent qui a une branche de lilas magique. Il en touche les yeux qui se changent en pierres précieuses et tombent au fond de la fontaine. Ils y restent très longtemps, jusqu'à ce que vienne un être humain qui les emplisse à nouveaux de larmes.»
Le petit garçon se mit à pleurer de plus belle, jusqu'à ce qu'arrive le gentil lutin des rêves qui lui ferma les paupières avec sa petite clé d'or que trouvèrent ses frères, les nains qui venaient des secrètes contrées des fontaines et des sources cristallines. Ils ouvrirent les paupières du petit garçon et portèrent ses yeux au serpent gardien.

2 SEPTEMBRE

Le petit garçon qui cherchait ses yeux

Quand le petit garçon se réveilla, le lendemain matin, autour de lui, régnaient les ténèbres. Il cria :
«Maman, maman, je n'ai plus d'yeux!»
Il voulut se mettre à pleurer, mais la source de ses larmes était tarie. Enfin, il reprit courage, noua un bandeau sur ses orbites vides et décida de partir à la recherche de la fontaine secrète. Il allait, trébuchant dans l'obscurité et il ne serait pas allé bien loin si, un jour, il n'avait entendu une petite voix :
«Aie, aie, tu me marches sur la patte!»
Le petit garçon trouva sous son pied une grenouille qui le supplia de ne pas lui faire de mal. Il la prit doucement et souffla sur sa patte. «Tu as bon cœur et tu mérites une récompense», lui dit-elle.
L'enfant lui raconta ses malheurs. Elle sauta à terre, ramassa un peloton bleu dont elle lui tendit l'extrémité. Puis elle jeta le peloton par terre et récita une formule magique.
Du peloton s'échappa un ruisseau qui guida le petit aveugle et son amie la grenouille jusqu'à la source gardée par le serpent.

168

Le petit garçon qui cherchait ses yeux

En chemin, la grenouille donna ses instructions au petit garçon :
«Quand nous serons arrivés à la fontaine, lance-moi devant le serpent. Quand il ouvrira la gueule pour m'avaler, prends-lui sa branche de lilas et jette-la sans perdre une seconde dans la fontaine.

— Je ne peux pas faire ça», dit le petit garçon.

Mais la grenouille réussit à le convaincre. Quand le ruisseau les eut enfin amenés à la fontaine le serpent se dressa devant eux, sifflant.

Le garçon jeta devant lui la grenouille, le serpent fit tomber sa branche magique et se précipita sur sa proie. Mais la grenouille se changea en un nuage incandescent. Dès que le serpent l'eut avalé, il fut réduit en cendres. Le petit aveugle chercha par terre la branche magique et la précipita dans la fontaine. Il se fit une grande lueur et apparurent tous les yeux changés en pierres précieuses. Le petit garçon fi-

nit par trouver les siens. Il se mit à pleurer de joie. Comme, cette fois, il ne pleurait pas pour rien, ses yeux en devinrent plus beaux et plus brillants. Le petit garçon enveloppa tous les yeux dans son mouchoir et, en rentrant chez lui, il les distribua à tous les enfants aveugles.

La petite fée de cristal

Quand j'étais tout petit, j'avais comme amie une fragile petite fée de cristal. Je l'avais imaginée dans mes rêves. Elle était pure et transparente, parfaitement invisible. Elle portait dans ses cheveux un papillon de cristal. La petite fée habitait une tulipe de cristal. Nous nous aimions tendrement. Un jour, nous étions en train de jouer sous un églantier qui savait parler, qui zozotait beaucoup. Et ma petite fée se moquait de lui! Elle disait qu'il avait un fil sur la langue. Ceci désolait l'églantier.

La petite fée de cristal lui jura alors qu'elle regrettait bien et qu'elle ne se moquerait jamais plus de lui. Mais l'églantier était fâché, faisait la tête et plus jamais ne voulut parler avec nous. Alors la petite fée lui arracha la plus belle de ses églantines, dont il était très fier. Elle se sauva et planta la fleur volée à côté de sa tulipe de cristal.

5 SEPTEMBRE

La petite fée de cristal

Et comme justement maman arrivait, l'églantier lui rapporta toute l'histoire. Mais maman ne l'entendit pas. Je ne sais pas pourquoi les grandes personnes n'entendent jamais ni les fleurs, ni les oiseaux, ni les animaux, ni les jouets quand ils parlent! Ma petite fée et moi, nous nous prîmes les mains et nous dansâmes une ronde autour de l'églantine. L'églantier pleura, puis il sécha ses larmes au soleil et se mit à chuchoter avec quelqu'un.

La curieuse petite fée tendait ses jolies oreilles, mais elle ne comprit rien. Elle s'approcha, retenant sa jupette de cristal pour qu'elle ne tintinnabulât pas, mais le vent jouait avec ses cheveux de cristal qui tintèrent.

6 SEPTEMBRE

La petite fée de cristal

Comme l'églantier échangeait des secrets avec on ne sait qui, de ses branches s'envola la pie voleuse, celle qui chipe tout ce qui brille, et je criai à ma petite fée de cristal :
«Sauve-toi! Sauve-toi!»
Mais la pauvre mignonne resta pétrifiée de peur! Ses yeux s'emplirent de larmes cristallines qui lui coulaient sur le visage et se brisaient sur les cailloux. «Dzin, cink, dzin, cink», faisaient les larmes! La pie voleuse les attrapait dans son bec! Cela réveilla le papillon de cristal que la fée portait dans ses cheveux.
Et il s'élança dans le ciel ensoleillé. Ses ailes de cristal étincelaient!
Quand la pie voleuse vit cela, elle qui

aime tant tout ce qui brille, elle laissa là la petite fée et poursuivit le papillon. J'avais saisi ma petite fée et je l'emportais vers sa tulipe de cristal. Je l'installai au fond du calice de la fleur et je priai bien les pétales de se fermer gentiment comme quand le soir tombe. Puis je m'assis auprès de la tulipe pour monter la garde.

7 SEPTEMBRE

La petite fée de cristal

Comme j'étais ainsi, assis à côté de la tulipe de cristal, j'entendis renifler tout bas :
«Je . . . je . . . n' . . . n' . . . n'ai mon papillon!

— Ça ne fait rien! Je vais t'en attraper un autre! Et un tout vivant!»
Mais cela ne consola pas ma petite fée de cristal : elle voulait celui-là et pas un autre, elle allait mourir de chagrin, et c'était affreux. Je commençais à avoir peur. Je regardais tristement le jardin. Tout à coup, je vis quelque chose briller dans le ciel. Le papillon de cristal! Il tourbillonnait dans les airs, jouait avec des vrais papillons, se posait là sur une rose, allait ici boire dans les fleurs d'acacia; ici, là-bas, partout, ce papillon! Je lui criai :

«Vas-tu revenir tout de suite, petit bandit? Ne sais-tu pas que la pauvre petite fée de cristal pleure parce qu'elle t'a perdu!
— Je veux jouer avec mes petits amis!»
Et le misérable s'en alla faire des pirouettes dans les pivoines!
Et ma pauvre petite fée éclata en sanglots.

8 SEPTEMBRE

La petite fée de cristal

De tous côtés on vint pour consoler la pauvre petite fée de cristal. Mais la pauvre petite fée était inconsolable! Enfin, quand elle eut versé toutes ses larmes cristallines, tout à coup elle retroussa ses jupes, sauta de sa tulipe sur l'herbe et nous nous lançâmes à la poursuite du papillon. Mais il voletait, faisant briller ses ailes transparentes, de fleur en fleur. Les larmes montaient à nouveau aux yeux de la malheureuse petite fée. Mais alors on en-

171

tendit l'araignée d'or, cachée dans l'églantier qui disait :
«Ne pleure pas, ma mignonne, je vais t'attraper ton papillon de cristal!»
Et elle se mit au travail sans attendre. Elle tissait, tissait et bientôt, sur les branches de l'églantier fut tendue la plus grande des toiles d'araignée du monde entier! Elle était fine, fine, et transparente, et invisible comme la petite fée de cristal elle-même. Et alors, on entendit la voix de l'églantier :
«Pardonne-moi, petite fée de cristal, de t'avoir envoyé la pie voleuse! Je ne recommencerai plus!»
La petite fée lui pardonna et l'églantier appela le papillon :
«Viens, vagabond, je te donnerai mon nectar le plus doux!»
Le papillon se posa sur l'églantier! Et il se trouva pris dans la toile de l'araignée.

9 SEPTEMBRE

La petite fée de cristal

La petite fée de cristal remercia gentiment l'églantier et l'araignée, posa le papillon de cristal dans ses beaux cheveux et dit :
«Attends un peu!»
Le papillon répondit :
«Je commençais à m'ennuyer de toi! Je suis bien content que tu sois redevenue jolie!»
Je me précipitai vers ma maman pour qu'elle vienne admirer ma petite fée, mais maman secoua ses blonds cheveux de miel, et répondit avec un peu de tristesse :
«Je ne peux pas voir ta petite fée, je suis trop grande maintenant!»
«Et pourquoi ma maman ne te voit-elle pas? demandai-je à ma petite fée.
— Parce que je suis très transparente, répondit-elle. C'est bizarre, mais les grandes personnes, bien souvent, ne voient pas ce qui est très clair et très pur. Toi aussi, un jour, tu ne pourras plus me voir. Mais je resterai toujours près de toi.»
Ce jour-là je ne la crus pas. Nous passâmes ensemble encore beaucoup d'heureux moments. Mais un jour en arrivant au jardin, je ne retrouvai pas la tulipe de cristal et ma petite fée bien-aimée. Elles avaient disparu!

10 SEPTEMBRE

Au cirque

Un cirque était venu s'installer dans la ville. C'était magnifique et les nains criaient :
«Venez, venez voir notre spectacle! Venez au royaume des miracles et des sortilèges!»
Un petit garçon demanda des sous à sa mère et se précipita vers le chapiteau. Mais, arrivé là, il s'aperçut qu'il avait perdu son argent! Tout malheureux, il restait planté près de l'entrée quand il vit qu'il y avait un trou dans la toile qui fermait la tente du cirque; il y glissa un œil. Quelle merveille! Tout en haut, sur un fil, de petites fées flottaient comme des flocons de neige. De beaux princes en habits bariolés se tenaient debout sur des chevaux au galop et de noirs magiciens crachaient des flammes et traversaient des cerceaux de feu.
«Ah! se disait le petit garçon si je pouvais m'introduire, ne serait-ce qu'une minute, dans ce royaume des sortilèges!»

11 SEPTEMBRE

Au cirque

Le petit garçon contemplait donc avidement ce qui se passait à l'intérieur du cirque quand un étrange vieillard se dressa devant lui. Il caressa doucement la joue de l'enfant en disant :
«Je suis Beppo, le magicien. Je vois que tu voudrais bien entrer au royaume des miracles et des sortilèges. Si tu veux, je te change en éléphant et tu pourras te promener dans l'arène.»
Cela faisait un peu peur à l'enfant, l'idée d'être changé en une si grosse bête, aussi répondit-il :
«J'aimerais mieux, s'il vous plaît, que vous me donniez de l'argent pour payer ma place!»
Mais le vieillard lui expliqua :

173

«Changer quelqu'un en quelque chose de gros, c'est facile, mais le contraire est beaucoup plus difficile. Réfléchis en quoi tu veux être changé, mais ne choisis rien qui soit plus petit que toi!»

L'enfant ne comprit pas grand-chose à ce discours mais entendit, juste à ce moment, rugir des fauves et dit tout bas :

«J'aimerais bien dompter des tigres!»

Et il se retrouva au milieu de l'arène, vêtu d'un flamboyant uniforme cou-

vert de galons et brandissant d'une main un fouet, de l'autre une pique! Autour de lui, se pressaient les féroces bêtes rayées!

12 SEPTEMBRE

Au cirque

Le petit garçon se trouvait donc au beau milieu de l'arène, avec des tigres féroces et son cœur battait d'angoisse. Les fauves le menaçaient de leurs crocs pointus et leur gueule ouverte laissait voir leur langue sanglante.

«Magicien Beppo! cria le garçon.

Change-moi en quelque chose de si grand que les tigres n'osent pas m'attaquer!

— Rien ne peut être plus grand que la peur! A toi de la surmonter!»

Les fauves rugissaient montrant leurs terribles griffes et l'enfant jeta un regard désespéré vers la coupole. Il y vit une jolie princesse qui dansait sur un fil invisible, tenant à la main une ombrelle toute blanche. Tout à coup, le pied lui manqua et elle se posa au milieu des tigres qui se jetèrent sur elle! Alors l'enfant, oubliant sa terreur, à coups de fouet et de pique, repoussa les féroces animaux dans leur cage. Un tonnerre de cris et d'applaudissements s'éleva mais, surtout, une main légère vint le caresser en remerciement.

«Ce n'était rien», murmura-t-il.

A ce moment, Beppo, le magicien, frappa dans ses mains et le petit garçon se retrouva dans son lit.

13 SEPTEMBRE

Le petit ours qui aimait dormir

Il était une fois un ourson qui vivait dans les bois avec sa maman. Ce qu'il aimait le mieux, c'était manger du miel et dormir au soleil. Profitant d'un moment où sa maman ne faisait pas attention, il se sauva pour se rendre au royaume du miel. Il trotta bien longtemps et arriva sur le rivage d'une mer immense. Il y vit un pêcheur en train de réparer son bateau et lui dit :

«Bonjour, pêcheur, ne saurais-tu pas comment se rendre au royaume du miel?»

Le pêcheur aimait à plaisanter.

Il emmena le petit ours vers le rucher, tapa sur les ruches et s'en alla bien vite. Vous auriez dû voir comment les abeilles se jetèrent sur le malheureux petit ours!

Le grand Miniprince

Si tu me démêles cette grosse pelote de corde et que tu en trouves l'extrémité, je t'y mènerai.»
Et il montra à l'ourson la pelote. Elle était vraiment énorme!
«Pourquoi, se dit alors l'ourson, peiner pour rien? Une corde a toujours deux extrémités!»
Il mit dans sa bouche le début de la corde et il se mit en boule et s'endormit. C'est ainsi que le pêcheur le retrouva. Il lui cria, en colère :
«Tu m'as l'air de travailler, toi! Où est le bout de la corde?
— Le voilà, répondit notre ourson malin. C'est le bout du commencement!»
Le pêcheur se mit à rire :
«Bon, Bon! Ça va! Allez, viens, que je te mène au royaume du miel!»

Il était une fois un prince qui était si petit qu'il était la risée de tous. Le prince Mini, ainsi que tout le monde le nommait, n'osait s'attaquer à la plus petite des petites souris. En place d'un destrier, il chevauchait une sauterelle et, en guise d'épée, sa mère lui avait offert une vieille aiguille toute rouillée. Un jour, le prince Mini était assis sur un dé en or et observait des oiseaux qui picoraient un carré de pavot. Une graine de pavot roula aux pieds du prince qui la mit en bouche. Il ressentit une impression bizarre et, avant qu'il ait compris ce qui lui arrivait, son corps s'était tellement allongé que sa tête se trouvait au-dessus des nuages. Mais bientôt il eut très peur, pensant : «Comment vais-je pouvoir vivre, les pieds sur la terre et la tête dans les nuages! Je préférerais redevenir petit comme avant!»

A peine avait-il formulé sa pensée, qu'il se retrouva comme avant.

15 SEPTEMBRE

Le grand Miniprince

Le prince Mini se dit que, maintenant qu'il pouvait à volonté grandir, il pouvait aussi courir l'aventure comme les autres princes. Il enfourcha sa sauterelle, ceignit son aiguille rouillée, et s'en fut hardiment hors du palais. En chemin, il aperçut des jeunes garçons

qui chevauchaient des chevaux à bascule; il prit le galop, leur criant : «Qui arrivera le premier?»

Les enfants se ruèrent derrière lui à la vitesse du vent. Ce fut le prince Mini qui arriva le premier, mais où donc? C'était une étrange contrée où poussaient des arbres verts et sur les routes défilaient des soldats de bois. Leur commandant ordonna : «Halte! Que cherchez-vous par ici?» Le prince Mini répondit qu'ils allaient chercher la félicité. Le commandant en eut l'air tout réjoui et mena le prince Mini et ses compagnons vers le roi. C'était un roi de bois. Quand il eut entendu le rapport du commandant, il dit de sa voix de bois : «Comme je suis content! Ma fille se nomme Félicité. Un méchant sorcier l'a emportée sur l'île de papier. Elle reste là à attendre un libérateur.» Le prince Mini dit en souriant : Je m'en vais la délivrer!» Il s'en fut avec ses compagnons vers la mer de papier.

16 SEPTEMBRE

Le grand Miniprince

Deux petites barques étaient mouillées sur le rivage de la mer de papier. Les enfants sur leurs chevaux à bascule éprouvèrent quelque inquiétude. Le prince Mini les rassura. Il se coucha sur les petites barques, avala une graine de pavot et il se mit à s'allonger, et les barques avec lui; si bien que cela fit un grand pont de bois qui atteignait l'île de papier. Les enfants sur les chevaux à bascule le franchirent; le prince Mini frappa à la porte

du château de papier ensorcelé :
«Nous venons délivrer la princesse Félicité! cria-t-il.
— Mais, faites donc, je vous en prie, répondit le sorcier en ricanant! Elle est là-haut, dans sa rose de papier!»
Le prince Mini avala une seconde graine de pavot et devint encore deux fois plus grand. Il saisit la princesse dans sa main et la posa sur l'île de papier. Et ils se précipitèrent sur le pont de bois vers l'autre rive, le sorcier les poursuivant. Dès que le prince Mini et ses compagnons eurent remis le pied sur la côte, il redevint tout petit et le pont redevint les deux petites barques. Elles ne purent supporter le poids du sorcier et celui-ci se noya dans la mer de papier.
Il se trouva que la princesse Félicité était toute petite, pas plus grande que le tout petit prince Mini lui-même, si bien qu'ils se marièrent ensemble.

17 SEPTEMBRE

Table, couvre-toi! Âne, des ducats! Gourdin, hors du sac!

Un tailleur avait trois fils. Chaque jour, l'un d'eux menait la chèvre à la pâture. L'aîné la mena au cimetière où poussait de l'herbe comme de la soie, la laissa paître à sa suffisance et le soir, lui demanda :
«Ma petite chèvre, as-tu bien mangé?
— J'ai si bien mangé, que je ne pourrais plus avaler le moindre petit brin!»
Le jeune homme la ramena à la maison et le père s'enquit :
«En as-tu assez?»
Et la chèvre répondit :
«Rien que des tombes et des cailloux,

Pas un brin de manger doux!»
Le tailleur, furieux, chassa son fils aîné. Le lendemain, ce fut le cadet qui mena la chèvre. Il la conduisit dans une clairière où poussait du trèfle odorant. Le soir, le jeune homme lui demanda :
«Hé bien, ma petite chèvre, as-tu bien mangé? En as-tu eu assez?
— J'ai si bien mangé, que je ne pourrais pas avaler le moindre petit brin!»
Le jeune homme ramena la chèvre, mais le père voulut l'interroger :
«Ma chevrette, as-tu bien déjeuné?»
Et la chèvre répondit :
«Là où sont les fourmilières,
De l'herbe il n'y en a guère!»
Le tailleur se mit en colère et chassa son fils cadet, sans miséricorde!

18 SEPTEMBRE

Table, couvre-toi! Âne, des ducats! Gourdin, hors du sac!

Vint le tour du plus jeune fils. Il mena la chèvre vers des buissons aux feuilles succulentes et, le soir, la chèvre l'assura qu'elle s'était bien régalée. Pourtant, à la maison, elle se plaignit au père :

«Buissons d'arbustes épineux
Ne font pas estomacs heureux!»
Quand le tailleur entendit cela, il chassa son dernier fils!
Le lendemain, il la mena lui-même dans un endroit où poussait ce qui est régal de chèvre; le soir, elle déclara :
«J'ai si bien mangé que je ne pourrais plus avaler le moindre petit brin!»
Le tailleur la ramena à la maison, l'installa dans son étable et lui dit :
«Enfin, chevrette, tu as bien mangé!»
Mais le méchant animal lui répondit :
«Dans des collines pleines de pierres,
On fait vraiment maigre chère!»
Le tailleur comprit qu'il s'était laissé tromper par cette mauvaise bête.

19 SEPTEMBRE

Table, couvre-toi! Âne, des ducats! Gourdin, hors du sac!

Cependant, les fils du tailleur vivaient leur nouvelle existence au loin. L'aîné s'était mis en apprentissage chez un menuisier. Celui-ci lui fit cadeau d'une table en bois, disant :
«Ce n'est pas une table ordinaire. Si tu lui commandes : ''Table, couvre-toi!'' elle te présentera un repas complet avec les mets les plus délicieux.»
Le jeune homme s'arrêta un soir dans une auberge. Il installa sa table et commanda : «Table, couvre-toi!» et, en un instant, tous les gens présents eurent devant eux un festin magnifique. Et l'hôte pensait :
«Ce cuisinier de bois ferait bien mon affaire!»
Et, profitant du sommeil du jeune homme, il lui changea sa table magique contre une autre toute semblable. Ce fut celle-là que le jeune homme rapporta chez lui. Son père l'accueillit et le fils dit fièrement :
«J'ai appris le métier de menuisier. Invite tous nos parents et tu verras comme je vais les régaler!»
Le fils installa sa table et commanda :
«Table, couvre-toi!»
Mais rien n'apparut sur la table!

«Attendez, mon père, dit fièrement le fils, vous allez voir! Mais allez chercher tous nos parents, je leur donnerai à chacun plus de richesses qu'ils n'en ont jamais vu de toute leur vie!» Quand tout le monde fut réuni, il commanda : «Âne, des ducats!» Mais le gentil petit âne offrit bien autre chose que des pièces d'or!

21 SEPTEMBRE

Table, couvre-toi! Âne, des ducats! Gourdin, hors du sac!

Le plus jeune fils avait fait son apprentissage chez un tourneur sur bois. En prenant son congé, il reçut de son maître un sac qui contenait un gourdin :
«Si tu commandes : "Gourdin, hors du sac!", le gourdin ira caresser l'échine de qui tu voudras.»
Le jeune homme remercia et partit. Ses frères lui avaient écrit, lui contant les malhonnêtetés de l'aubergiste. Il décida donc de lui rendre visite. En arrivant, il confia :
«J'ai dans mon sac un trésor.»
Quand le jeune homme se fut restauré, il se coucha sur un banc, son sac sous la tête et fit semblant de dormir. L'hôte s'approcha et voulut tirer le sac mais le jeune homme cria : «Gourdin, hors du sac!» Et le gourdin entra en danse et battit l'aubergiste jusqu'à ce qu'il rendît la table magique et l'âne qu'il avait volés. Quelle joie ce fut quand le plus jeune fils rentra à la maison! Ils invitèrent tous leurs parents, leur servirent un merveilleux festin et leur distribuèrent des montagnes de ducats.

20 SEPTEMBRE

Table, couvre-toi! Âne, des ducats! Gourdin, hors du sac!

Le fils cadet avait appris le métier de meunier. Quand il prit congé de son maître, celui-ci lui donna un petit âne, en disant :
«Ce n'est pas un âne ordinaire. Si tu lui commandes : "Âne, des ducats!", il te fera des pièces d'or!»
Le jeune homme remercia et prit le chemin du retour. Il s'arrêta dans l'auberge où l'hôte avait volé la table de son frère. Il installa son âne dans les écuries et demanda un lit :
«Paye d'abord!» dit l'hôte.
Le jeune homme lui demanda une nappe pour aller chercher son argent. Cela intrigua l'hôte qui le suivit en cachette. Il vit le petit âne remplir la nappe de beaux ducats et se dit :
«Ce distributeur de pièces d'or ferait bien mon affaire!»
Pendant que le jeune homme dormait, il changea son âne. Le jeune homme arriva chez son père qui le reçut bien.

179

Elle vola jusqu'à l'intérieur de la tanière et se mit à piquer la chèvre sur sa tête rasée jusqu'à ce que celle-ci, folle de douleur, s'enfuit.

23 SEPTEMBRE

La petite souris qui voulait aller dans le ciel

Un jour, je rencontrai un jeune garçon qui tenait dans ses mains jointes une petite souris grise. Quand il me vit, il posa sa souris dans l'herbe et me dit : «Aide-moi à construire une montagne avec des cailloux. Nous y grimperons, ma souris et moi, pour voir comment c'est au-dessus des nuages. Comment crois-tu qu'est le ciel? Il ne va pas nous tomber sur la tête?
— Je ne sais pas, répondis-je. Peut-être est-ce une grande prairie où poussent les étoiles.»
Je lui dis que je préférais l'aider à construire sa montagne de cailloux. Pendant que nous travaillions, il me raconta l'histoire de sa souris.

22 SEPTEMBRE

Table, couvre-toi! Âne, des ducats! Gourdin, hors du sac!

Il nous reste à conter ce qui advint de la mauvaise chèvre. Quand le père lui eut administré une volée et lui eut rasé la tête, elle courut dans le bois et se cacha dans le repaire du renard. Quand le renard revint, il vit au fond de son trou des yeux qui étincelaient. Il se sauva en pleurant. Il rencontra son compère l'ours qui lui demanda la cause de son chagrin :
«Il y a dans ma maison un diable aux yeux étincelants, avec des cornes de chèvre et des pieds fourchus comme Lucifer!
—Je vais voir cela et chasser cet intrus», dit l'ours.
Mais dès qu'il eut aperçu ces effroyables yeux de feu, il prit aussi la fuite. Il rencontra une petite abeille qui lui demanda :
«Ami ours, pourquoi cette triste mine? Ce diable va avoir affaire à moi!»

La petite souris qui voulait aller dans le ciel

Il était une fois une petite souris qui sortit de son trou pour aller grignoter des épis bien sucrés. Elle entendit chuchoter et une petite voix l'appela :

«C'est nous les petites fées de grains. Nous gardons les épis. Si tu ne nous fais pas de mal, nous te montrerons un sentier enchanté.»
La souris promit de les laisser en paix et, des grains, sautèrent de toutes petites créatures. Elles s'assirent sur la queue de la souris et la menèrent au sentier enchanté. Arrivées à la lisière du champ, elles crièrent :
«Le voilà!»
Et la petite souris vit réellement un sentier entre les herbes et les buissons au bout duquel brillait une grosse lune. La souris demanda :
«Et où mènera ce sentier?»
Les fées des grains répondirent qu'elles avaient entendu dire que qui s'engageait sur ce sentier enchanté, errait très loin, au bout du monde. Elles lui avaient montré le sentier pour qu'elle s'éloignât à jamais.

La petite souris qui voulait aller dans le ciel

La souris suivit longtemps le sentier et elle rencontra une grenouille et lui demanda :
«Où conduit donc ce sentier?»
La grenouille répondit :
«Je ne sais pas. J'y marche depuis bien longtemps mais je n'en vois pas la fin. Peut-être mène-t-il jusqu'aux cieux. Si tu veux, nous pouvons voyager ensemble!»
Elles arrivèrent bientôt au royaume des boutons d'or. Le roi était assis dans le calice d'or d'une fleur, tenant son abeille familière. Il lui donnait à boire du miel et, pour le remercier, elle l'éventait de ses ailes. Le roi feuilletait un livre en feuilles de coucou, il cria :
«Arrêtez-vous! Qui entre sans permission par le sentier enchanté dans notre royaume est à l'instant changé en bouton d'or! Cela est écrit dans nos lois.»
La souris et la grenouille regardèrent docilement mais dirent au roi :

«Que Votre Majesté nous pardonne, nous ne savons pas lire!

— Oh! cela est bien fâcheux, s'exclama le roi. J'avais espéré que vous me liriez ce gros livre! Moi, cela m'ennuie. Et où, s'il vous plaît, allez-vous ainsi?

— Dans les cieux!

— Ah! bien, répondit le roi. Alors, par ici!»

Il montra la direction de la lune et c'est par là qu'elles continuèrent.

26 SEPTEMBRE

La petite souris qui voulait aller dans le ciel

La souris et la grenouille étaient fort lasses et il semblait que les cieux étaient encore bien loin.

«Comment cela peut-il bien être, dans le ciel?» se demanda la souris.

«Je pense, dit la grenouille, que c'est une grande mare sur laquelle flottent de très jolies fleurs de nénuphars. La reine des grenouilles se tient sur une feuille et garde des petites étoiles-grenouilles.

— Mais pas du tout, répliqua la souris en secouant la tête. Au ciel, c'est tout

sec, comme dans un trou de souris!

— Alors, comment se fait-il qu'il vienne de la pluie du firmament? Non, non, je te dis que le ciel est une grande mare!»

Mais, juste à ce moment, elles virent deux yeux qui brillaient dans l'herbe! La grenouille triomphait et elle voulut faire un bond en avant. Mais quelque chose la retenait immobile et il en était de même pour la souris : on eut dit qu'elles étaient pétrifiées. Et de l'herbe surgit une affreuse tête de serpent, dardant sa langue bifide. Le serpent ouvrit une large gueule et cria : «Entrez dans ma respectable gueule de serpent et soyez les bienvenues! Qui veut suivre jusqu'au bout le sentier enchanté doit passer par mon estomac!»

A ce moment, se montra dans les cieux un hibou et le serpent, effrayé, ferma les yeux. La souris et la grenouille s'enfuirent pour se mettre en sécurité.

27 SEPTEMBRE

La petite souris qui voulait aller dans le ciel

Tout à coup, elles arrivèrent au bord d'un grand lac. Le ciel s'y reflétait tout entier, les étoiles scintillaient à la surface comme des perles étincelantes. La grenouille s'écria :

«Vivat! Nous sommes enfin au ciel, je t'avais bien dit que c'était une grande mare!»

Avant que la souris se rendît compte de ce qui arrivait, elle sauta dans l'eau et y disparut. La souris attendit qu'elle revînt à la surface, mais en vain.

La petite souris qui voulait aller dans le ciel

La souris trouva vite un remède à son malheur. Dès que la petite vagabonde fut revenue de sa terreur, elle se mit à gratter et à creuser et eut bientôt recouvré sa liberté. Mais elle retrouva devant elle l'immense étang et elle éclata en sanglots désespérés :
«Jamais, jamais, gémissait-elle, je ne saurai comment est-ce dans le ciel!»
Mais le vent poussa vers la berge un petit bateau fait d'une coquille de noix et la souris supplia :
«Emmène-moi loin, très loin, jusqu'au ciel!
— C'est justement là que je vais, répondit le petit bateau. Mais je navigue déjà depuis dix jours et dix nuits et le ciel fuit toujours devant moi! Viens si tu le désires.»
La souris, bien contente, s'installa au fond du bateau et s'endormit d'un sommeil paisible. Elle fut réveillée en sursaut par des cris perçants. Une troupe de mouettes se précipitait sur le bateau et leur roi sifflait :
«Qui tient à la vie n'entre pas au royaume des oiseaux marins.»

Et elle sentit qu'elle commençait à regretter sa maison. Mais à ce moment elle fut assourdie par un terrible bourdonnement et d'un trou devant elle, sortirent des centaines de bourdons sauvages. Ils se précipitèrent sur l'infortunée voyageuse et leur reine ordonna :
«Tu t'es permis de troubler la paix de notre royaume! En punition, qu'on t'enferme dans une cellule souterraine!
Ils entraînèrent la souris au fond d'un trou qu'ils refermèrent soigneusement à l'aide d'un mélange d'argile et de cire.

Mais le petit bateau déploya ses voiles et fila sur les flots, laissant les cruels oiseaux loin en arrière.

29 SEPTEMBRE

La petite souris qui voulait aller dans le ciel

Le ciel était toujours à une incommensurable distance et ils n'atteignirent jamais l'endroit où la terre et les cieux se joignent. Finalement, une tempête les ramena à la rive. Deux enfants se tenaient là, un garçon et une fillette. La petite souris était à moitié morte. Puis elle raconta comment elle était partie par le sentier enchanté pour aller dans le ciel voir à quoi ressemblait le royaume des étoiles. Le petit garçon s'écria :
«Moi aussi, je veux savoir comment est-ce au royaume des étoiles. Je vais construire de très hautes montagnes, avec des cailloux. Si hautes que j'arriverai jusqu'aux cieux et je serai roi parmi les étoiles. Je serai un souverain sage et juste et j'apprendrai aux grandes personnes à croire au merveilleux.
— Prends-nous avec toi! crièrent la fillette et la souris. Nous aussi, nous voulons monter toujours plus haut, grimper par le sentier enchanté jusqu'au domaine azuré des étoiles!»

30 SEPTEMBRE

Le petit poisson trop curieux

Il était une fois une petit poisson qui voulait tout voir. Sa maman lui répétait sans cesse :
«Tu es trop curieux, cela te jouera des tours!»
Le petit poisson n'écoutait pas. Un jour, dans ses courses interminables, il entendit un petit bruit : «clap, clap, clap». C'était un vieux crabe qui aiguisait ses pinces. Le petit poisson se demanda ce que cela pouvait bien être. Mais la curiosité l'emportant, et le bruit continuant, le poisson s'approcha pour jeter un coup d'œil. Oh! là, là! Le vieux crabe n'aimait pas les visites imprévues, il brandit ses pinces et serra le museau du téméraire curieux. Le pauvre, tout en larmes, se précipita vers sa mère qui pansa la blessure et lui administra une bonne correction pour qu'il se souvienne que la curiosité peut coûter cher. Et vous, mes petits amis, méfiez-vous! Sur terre, il n'y a pas de crabe, mais un merle pourrait venir vous pincer le nez.

OCTOBRE

Le renard avaricieux

Le renard s'en allait rendre visite à son compère. Il portait sur son dos un gros sac plein de pavots. Il rencontra en chemin un petit hérisson qui le pria :

«Donne-moi une poignée de graines de pavot que je fasse quelques gâteaux. Si tu me les donnes, ton sac s'alourdira. Si tu ne me les donnes pas, il sera plus léger à chaque pas.»
Le renard avaricieux ricana :
«Pourquoi voudrais-je voir mon sac s'alourdir?»
Il continua son chemin. Le hérisson le suivit en cachette et le devança. Il se mit en boule et ressemblait ainsi à une innocente petite souche. Le renard, fatigué, s'allongea sur l'herbe et jeta son sac sur la petite souche. Alors le hérisson sortit ses piquants, le perçant de mille trous. Reposé, le compère renard se remit en route, il ne s'aperçut pas que le pavot s'échappait du sac graine après graine, mais il se dit :

«Le hérisson avait raison : mon sac s'allège à chaque pas et pourtant je ne lui ai rien donné!»
Quand il arriva chez son compère, le sac était vide!

La flèche magique

Poulain-Sauvage, le jeune Indien, était parti à la chasse. Il aperçut un oiseau magnifique. Il ajusta son arc,

«Ne tire pas!»
Le jeune homme se laissa toucher.

«Tu as bien fait, reprit l'oiseau. Si tu m'avais tué, cela t'aurait porté malheur! Retourne à ta tente, tu y trouveras une flèche magique. Où que tu veuilles aller, tire cette flèche vers le ciel et elle t'indiquera le chemin.»
Le jeune chasseur tomba amoureux de la fille du sorcier qui était la plus belle des jeunes filles de la tribu. Un soir, il osa aller demander sa main à son père, le sorcier, qui lui dit :
«Je t'accorderai la main de ma fille si, à trois reprises, tu la trouves dans le lieu où elle se sera cachée.»
Le lendemain matin, Poulain-Sauvage partit dans la prairie mais nulle part il ne vit trace de la jeune fille. Il pensa alors au cadeau de l'oiseau. Il tira vers le ciel sa flèche magique qui alla percer le cœur d'un petit oiseau de pourpre. Dès que l'oiseau toucha terre, il se changea en la jeune fille recherchée.

3 OCTOBRE

La flèche magique

Poulain-Sauvage ramena la jeune fille au sorcier son père qui dit :
«Tu dois la chercher pour la deuxième fois!»
Le lendemain matin, le jeune chasseur tira tout de suite sa flèche magique vers le soleil. Elle tomba dans un lac profond et, aussitôt apparut à la surface un beau poisson d'argent. Poulain-Sauvage l'en retira et, alors, se dressa devant lui sa souriante bien-aimée.
Le sorcier dit :
«Tu ne gagneras pas une fois de plus! Et je te changerai en un loup féroce!»
Mais, le lendemain matin, quand il tira sa flèche, elle retomba à ses pieds. Poulain-Sauvage banda son arc une seconde fois mais la flèche retomba encore, disant d'une voix humaine :
«Je ne pourrai retrouver ta fiancée si tu ne m'abreuves de ton sang!»
Poulain-Sauvage se perça le pied de sa flèche puis la tira à nouveau vers le ciel. Elle tomba juste dans le cœur d'une blanche fleur. Le jeune homme cueillit la fleur mais rien ne se produisit, alors la flèche lui enjoignit :
Arrose-la de ton sang!
Poulain-Sauvage obéit et la fleur se changea en sa belle fiancée. Ils tombèrent dans les bras l'un de l'autre et plus jamais ne se séparèrent.

4 OCTOBRE

La belle au bois dormant

Il était une fois un roi et une reine qui étaient très fâchés de n'avoir pas d'enfants. Enfin la reine eut une fille. On fit un beau baptême et on donna pour marraines à la fillette toutes les fées qu'on put trouver. On en trouva douze. Après les cérémonies, toute la compagnie revint au palais du roi où l'on servit un grand festin.

Cependant les fées commencèrent à faire leurs dons à la princesse. La première lui donna pour qualité qu'elle aurait de l'esprit comme un ange, la deuxième qu'elle serait la plus belle personne du monde, la troisième qu'elle aurait une grâce admirable dans tout ce qu'elle ferait, et ainsi de suite jusqu'à la onzième. A ce moment, on vit entrer une vieille fée qu'on n'avait point priée. Elle s'approcha du berceau; elle dit, en branlant la tête, que la princesse se percerait la main d'un fuseau et qu'elle en mourrait.

5 OCTOBRE

La belle au bois dormant

A ce moment, la douzième fée s'avança et dit :

«Il est vrai que je n'ai pas assez de puissance pour défaire ce que mon ancienne a fait; la princesse se percera la main d'un fuseau; mais, au lieu d'en mourir, elle tombera seulement dans un profond sommeil, qui durera cent ans, au bout desquels le fils d'un roi viendra la réveiller.»

Le roi, pour tâcher d'éviter le malheur annoncé par la vieille, fit publier aussitôt un édit par lequel il défendait à toute personne de filer au fuseau, ni d'avoir de fuseaux chez soi, sous peine de mort.

Au bout de quinze ans, il arriva que la jeune princesse, courant un jour dans le château, alla jusqu'au haut d'un donjon, dans un petit galetas où une bonne vieille était seule, occupée à filer sa quenouille. Cette bonne femme n'avait point ouï parler des défenses que le roi avait faites.

6 OCTOBRE

La belle au bois dormant

«Que faites-vous, ma bonne femme, dit la princesse.

— Je file, ma belle enfant, lui répondit la vieille.

— Ah! que c'est joli! Comment faites-vous? Donnez-moi que je voie si j'en ferais bien autant!»
Elle n'eut pas plutôt pris le fuseau qu'elle s'en perça la main et tomba profondément endormie.
Tout ce qui était dans le château s'endormit avec elle. Il crût dans un quart d'heure autour du parc, une si grande quantité de grands arbres et de petits, de ronces et d'épines entrelacées, que bête ni homme n'y aurait pu passer et qu'on ne voyait plus que le haut des tours du château.
Au bout de cent ans, le fils du roi, étant allé à la chasse de ce côté-là, demanda ce que c'étaient que ces tours. Un vieux paysan prit la parole et lui dit :
«Mon prince, il y a plus de cinquante ans, j'ai ouï dire à mon père qu'il y avait dans ce château une princesse, la plus belle du monde; qu'elle y devait dormir cent ans et qu'elle serait réveillée par le fils d'un roi, à qui elle était destinée.»

7 OCTOBRE

La belle au bois dormant

Le jeune prince, à ce discours, s'avan-

189

ça l'épée à la main, mais tous ces grands arbres, ces ronces et ces épines s'écartèrent d'elles-mêmes pour le laisser passer. Il entra dans une grande cour, monta l'escalier, traversa plusieurs chambres et, partout, il ne vit que gens plongés dans un profond sommeil. Il arriva enfin à une vieille tour et vit sur un lit une princesse. Il s'agenouilla devant elle et déposa un léger baiser sur ses paupières closes, elle s'éveilla et, le regardant avec les yeux les plus tendres : «Est-ce vous, mon prince? lui dit-elle. Vous vous êtes bien fait attendre!» Bientôt des noces magnifiques se déroulèrent au palais et on y invita les douze bonnes fées. Quant à la treizième, on ne savait pas ce qu'elle était devenue.

8 OCTOBRE

La marmite de bouillie

Il y avait une fois un royaume où l'on conservait dans la salle du trésor une vieille marmite comme la plus précieuse chose du monde. La vieille reine racontait à tous ceux qui voulaient l'entendre son histoire :
Dans les temps très anciens vivait un meunier à qui la chance n'avait jamais souri. De surcroît, il avait une femme querelleuse. Son plus grand bien était sa gracieuse fille qui faisait sa seule joie. Vint un moment où le pays fut en proie à la disette, et la meunière ramassa la dernière poignée de farine, en fit une marmitée de bouillie, la posa sur la table, disant :
«Quand nous l'aurons mangée, il nous faudra mourir de faim : c'est tout ce qui nous reste au monde!»
Entendant cela, le meunier prit sa cuiller de bois, désirant encore une fois goûter à la nourriture avant de mourir. Mais son acariâtre épouse ne voulut pas le laisser approcher de la marmite. Ils eurent une horrible querelle. La meunière empoigna la marmite, se la posa sur la tête et se sauva. Le meunier la poursuivit, sa cuiller à la main. Ce que voyant, leur fille se lança derrière ses parents, les souliers à la main. Elle s'assit et se mit à pleurer.

9 OCTOBRE

La marmite de bouillie

Quand la jeune fille eut versé sa dernière larme, une vieille femme surgit

190

devant elle qui lui demanda gentiment :

«D'où vient ce grand chagrin, mon enfant?»

La jeune fille lui raconta son histoire et la vieille femme, sortant de son sac une pantoufle d'or, lui dit :

«Prends ce soulier et va toujours droit devant toi, jusqu'à ce que tu arrives au château du roi.»

Ayant dit ces mots, la vieille femme disparut. La jeune fille fit ce qu'elle lui avait dit. Au palais, elle parut la plus ravissante des princesses. Au premier regard, le jeune prince voulut l'épouser. Et comme la fiancée plaisait aussi au roi, on prépara les noces. Alors, elle vit sur la prairie sa mère qui courait, la marmite sur la tête, et son père qui la poursuivait, brandissant sa cuiller de bois. Elle ne put y tenir et éclata de rire. Le prince lui en demanda la

raison et elle répondit :

«Je riais à l'idée que nous voulons célébrer nos noces dans un château si petit! Où logerons-nous nos invités?»

La marmite de bouillie

Le prince réfléchissait donc. Ne trouvant pas de solution au problème, il demanda à sa fiancée :

«Sans doute possèdes-tu un palais plus grand que tu te moques du nôtre?

— Bien sûr, répondit la jeune menteuse.

— Parfait! cria le prince. Retardons les noces d'une semaine et faisons-les chez toi!»

Il courut prévenir le roi et la fiancée était bien confuse. Tout à coup, l'oiseau qui était dans une cage d'or prit l'apparence de la bonne vieille et dit :

«J'ai tout entendu, mets-toi en route. Hors de la ville, t'attendra un petit chien qui te mènera, avec tout le cortège royal, dans un magnifique palais.»

Dès que le cortège des noces eut quitté la ville, un petit chien sauta sur la route et conduisit la fiancée et toute sa suite vers un grand palais. «Nous voilà chez moi», dit la jeune fille.

Ils entrèrent, trouvèrent une table magnifiquement servie. Toute la compagnie prit place mais, au milieu du festin, la porte s'ouvrit et, se rua une femme, sa marmite sur la tête et, derrière elle, un homme brandissant une cuiller en bois.

Le roi, la reine et toute l'assemblée fu-

rent pris d'un rire inextinguible et la jeune princesse dut avouer en souriant que ces étranges personnages étaient ses parents bien-aimés. Tout le monde fut bien content. On déposa la marmite dans le trésor royal.

11 OCTOBRE

Au zoo

Il y avait une fois un magnifique jardin zoologique où vivaient sans doute toutes les bêtes du monde. Un jour, on amena d'Afrique un lion superbe. On le mit dans une cage et, en guise de bienvenue, on lui servit un bon repas. Mais il restait prostré ou bien rugissait lamentablement :
«Je ne veux pas rester en prison, je n'ai rien fait!
— Tu n'es pas en prison, dit le gardien, tu es dans un zoo! Et tu es le plus beau de nos lions, aussi je vais te donner un nom : Bayard, ou bien Léo et tu feras voir à tous les enfants comment est un vrai lion, tout frais arrivé de sa savane.
— Ah! cela me plaît, répondit le lion, tout radouci. Faire le lion, ça me convient. Et appelez-moi Léo : c'est un très joli nom.»
On l'appela donc Léo. Les enfants se pressaient en foule devant sa cage et le lion s'en gonflait d'orgueil. Mais bientôt, les abords de la cage furent

jonchés de détritus : les enfants y jetaient tout ce qu'ils avaient dans les mains.

12 OCTOBRE

Au zoo

Finalement, le gardien dit à son lion : «Mon gentil petit Léo, je crois qu'il vaut mieux te renvoyer en Afrique. Quand les enfants viennent, ils jettent

par terre des sacs de bonbons, des bouteilles de limonade. Et qui, ensuite, doit avoir sans arrêt le balai en mains?»
Le lion se plaisait bien dans son zoo, il était content que tous les enfants l'aimassent à ce point. Il se mit, lui aussi, à chercher une solution et, un beau jour, il demanda :
«Qu'est-ce que c'est que ces drôles d'animaux, là-bas?
— Des kangourous, répondit le gardien. Et, dans cette grande poche qu'ils ont sur le ventre, les mamans

192

kangourous mettent leurs petits.
— Ça y est, j'ai trouvé!» cria Léo qui chuchota quelque chose à son gardien. Le gardien eut l'air enchanté, installa près de la cage de Léo deux kangourous; il avait peint sur leur poche : «Aspirateurs». Tous les visiteurs y jetèrent désormais les vieux papiers; quand leur poche était pleine, les kangourous la vidaient eux-mêmes puis revenaient près de la cage du lion. De ce jour, le zoo fut propre et net. Et le lion Léo fut bien heureux de n'être pas obligé de retourner en Afrique!

Le singulier équipage du matelot mélancolique

Il était une fois un matelot qui sillonnait les mers sur son bateau à vapeur. Mais il souffrait d'une infinie tristesse : il était seul au monde il n'avait ni femme ni enfants ; il n'y avait pas un port où il fût impatient de revenir! Un jour survint une affreuse tempête. Des vagues battaient le vapeur qui tanguait comme une coque de noix. Tout à coup, une vague balaya tout l'équipage y compris le capitaine, ne laissant seul sur le pont que le matelot mélancolique. Le capitaine avait la pipe à la bouche. Les matelots suivirent la fumée de la pipe, nagèrent ainsi derrière leur capitaine et arrivèrent sains et saufs en Amérique. Là, ils secouèrent leurs habits, séchèrent leurs bottes et allèrent au cinéma. Notre matelot mélancolique était là sur le bateau abandonné et il accosta enfin une île déserte. Il se demandait ce qu'il allait devenir sans les autres et

sans son capitaine, mais tout à coup, un perroquet lui cria :
«Je suis amiral! Je suis amiral!»
Le matelot se dit qu'à défaut de capitaine, un amiral ferait son affaire.

Le singulier équipage du matelot mélancolique

Le perroquet se nommait Coco et il s'entendait bien peu aux choses! Mais

193

il était dur et exigeant. Il se posa sur la hampe du pavillon et cria sans arrêt :
«Je suis l'amiral! En avant!»
Le malheureux matelot courait de la chaudière aux machines, lavait le pont, faisait la cuisine. Il se dit :
«Ça ne peut pas durer, il faut que je me trouve un mousse!»
Justement, ils arrivaient en vue d'un rivage inconnu et y virent un ours qui ramassait du miel dans une ruche d'abeilles sauvages. Le matelot lui cria :
«Si tu veux, je te donnerai un béret de matelot et tu seras notre mousse.»
Cela plut à l'ours qui dit s'appeler Valoo. Il savait lécher la vaisselle, manger le miel et dormir au soleil. Le matelot faisait le reste et il se dit :
«Il faut que je trouve une cuisinière.»

15 OCTOBRE

Le singulier équipage du matelot mélancolique

Ils s'approchèrent d'une île et y virent une guenon. Le matelot lui demanda comment elle s'appelait. Elle ne répondit pas. Il la prit quand même à bord et la nomma Annette. Il la vêtit

d'une jolie souquenille et Annette se mit aux fourneaux. Ce n'était pas une paresseuse; mais quand le matelot voulait qu'elle fît quelque chose, il devait le faire d'abord, ensuite elle l'imitait. Si bien qu'on cuisinait toujours deux repas : le premier, par le matelot, le deuxième, par la guenon. Et tout l'équipage mangeait tellement qu'il devait faire la sieste. Un jour qu'ils dormaient tous ainsi, des pirates les approchèrent mais ne virent personne à bord. Le chef des pirates décida d'aborder et de couler ce bateau. Il cria :
«A l'abordage!»
Et il bombarda le vapeur de pétards qui faisaient : Boum! Badaboum!

16 OCTOBRE

Le singulier équipage du matelot mélancolique

Coco ouvrit un œil et cria :
«Je suis amiral! En avant!»
Cela épouvanta les pirates d'avoir attaqué le vaisseau-amiral! Et, juste à ce

194

moment, Valoo surgit de la soute aux confitures :

«Au secours, hurlèrent les pirates! Le diable des mers!»

Puis vint le tour d'Annette. Réveillée, elle vit les pirates jeter des choses et les singea, leur jetant tout ce qui lui tombait sous la main. Le matelot mélancolique sortit de son baril, recouvert d'écailles de poisson. Les pirates croyant avoir affaire au dieu de la mer lui-même, se jetèrent à la mer; et les requins les dévorèrent. Le matelot mélancolique et son courageux équipage débarquèrent sur l'île des pirates, et y plantèrent leur pavillon pour célébrer la victoire.

17 OCTOBRE

Pourquoi?... parce que!

Dans de lointaines contrées orientales, il y avait une fois un roi qui adorait poser des devinettes à ses sujets. Un jour, il fit venir les plus grands savants du monde et leur dit :

«Devinez pourquoi le chameau est bossu et, si dans trois jours vous n'avez pas trouvé, je vous ferai couper la tête!»

Le troisième jour, le souverain rappela les savants qui restèrent muets comme des carpes et mentalement faisaient déjà leurs adieux à ce monde quand entra en courant un petit garçon qui cria :

«Parce qu'il a des bosses!»

Le roi éclata de rire. Il fit grâce aux savants et offrit à l'enfant une belle boule de cristal. Mais l'intelligence n'a rien à voir avec la sorcellerie!

18 OCTOBRE

Souchinet

Il y avait une fois un pauvre charpentier qui vivait avec sa femme dans une petite chaumière. Ils n'avaient point d'enfant et priaient le bon Dieu de leur en envoyer un. Un jour, la femme, désespérée, s'écria :

«Puisque Dieu nous abandonne, que le diable au moins exauce nos vœux!»

Le même jour, le charpentier ramena du bois une petite souche. Elle avait l'aspect d'un bébé, l'homme n'eut qu'à creuser un peu les orbites. La femme le berça dans ses bras. Souchinet ouvrit les yeux et cria :

«Maman, j'ai faim!»

Toute heureuse, la bonne femme fit cuire toute une marmite de bouillie que Souchinet avala d'un coup et la casserole avec. Il se mit à grandir à une vitesse effrayante, sans cesser de crier :

«Maman, j'ai faim!»

Le père prit un seau et se précipita pour traire la chèvre. Quand il revint, il ne trouva plus sa femme :

«Où est maman? demanda-t-il à Souchinet.

— Je l'ai mangée, répondit Souchinet. J'ai mangé la casserole de bouillie, j'ai mangé la miche de pain, j'ai mangé maman et je vais te manger aussi!» Et il avala le lait, le seau et son père!

19 OCTOBRE

Souchinet

Souchinet, comme il n'y avait plus rien à manger dans la maison, sortit sur la place du village. I y rencontra une jeune fille qui poussait sa brouette et qui lui dit :
«Que tu as un gros ventre. Qu'as-tu donc mangé?
— J'ai mangé la casserole de bouillie, la miche de pain, ma maman, le lait, le seau et mon papa et je vais te manger aussi!»
Et il avala la fille et la brouette. Arriva un paysan avec sa charretée de foin :
«Qu'as-tu donc mangé, mon ami?
— J'ai mangé la casserole avec la bouillie, la miche de pain avec ma ma-

man, le seau, le lait avec mon père, la fille et la brouette et je vais te manger aussi!»
Et il avala le paysan et la charretée de foin. Il traversa un champ où une bonne vieille bêchait :
«Qu'as-tu donc mangé, mon ami?
— J'ai mangé la bouillie et sa casserole, la miche de pain et maman, le lait, le seau avec mon papa, la fille et sa brouette, le paysan et sa charretée de foin et je vais te manger aussi!»
Mais la vieille, d'un coup de sa bêche, lui ouvrit le ventre! Vous auriez dû voir le cortège qui en sortit! Depuis ce jour, la femme du charpentier se garda bien d'invoquer le diable!

20 OCTOBRE

Jadis, les autruches volaient . . .

Il fut un temps, jadis, où les autruches volaient comme tous les autres oiseaux. Un jour, le soleil chargea un petit oiseau de porter à la lune une missive, où il la priait de venir comme marraine au baptême. Le petit oiseau s'envola à tire-d'aile, franchissant monts et vallées afin d'arriver chez la lune avant qu'elle ne se soit cachée; mais ses ailes lui faisaient mal. Il aper-

çut l'autruche qui se prélassait dans la savane.

«Autruche, prends-moi avec toi et portons ma lettre à la lune.»

L'autruche ricana :

«Et quoi encore? La lune n'habite pas à côté! Si tu veux, grimpe sur mon dos et nous irons à pied. On y arrivera bien un jour.»

L'autruche, il est vrai, a de longues pattes mais la route n'en finissait pas; quand ils arrivèrent, le jour de la cérémonie était passé depuis longtemps!

Le soleil fut fort mécontent :

«Ah! Madame l'Autruche, vous n'avez pas le courage de voler! Hé bien, désormais, vos ailes ne vous serviront plus que d'ornement!»

Et, depuis ce jour, les autruches ne volent plus!

en remplacement était une plume magique et elle avait rapporté toutes ses sottises. De ce jour, elle devint plus gentille : elle avait peur que la plume continue à rapporter!

21 OCTOBRE

La plume rapporteuse

Il était une fois une fillette qui était vraiment très méchante et capricieuse. Quand le maître l'interrogeait, elle était incapable de répondre; mais elle mentait très bien. Un jour, elle perdit son porte-plume et se plaignit au maître qu'on le lui eût volé.

«Tu ne mens pas, au moins?» demanda le maître.

La petite fille accusa ses camarades. Puis, elle bâcla bien vite ses devoirs et alla jouer au jardin. Elle fut, toute la soirée, haïssable. Le lendemain, le maître la fit venir au bureau et lui dit de lire tout haut ses devoirs. La fillette se mit à lire mais bientôt s'arrêta et devint rouge comme un coquelicot. La plume que lui avait donnée le maître

22 OCTOBRE

Un éléphant dans un magasin de porcelaine

Il était une fois un roi qui avait une fille unique, belle comme le jour. Les prétendants se succédaient mais le roi les renvoyait tous. Un jour, arriva dans le royaume un puissant magicien. Il menaça le roi de changer son royaume en une mare à grenouilles s'il ne lui donnait pas sa fille. Le roi qui n'était pas un sot répondit :

«Tu auras ma fille! Mais auparavant, je veux un magasin de porcelaine et, dedans, un éléphant qui danse la bourrée!»

Le magicien agita sa baguette magique et voilà qu'apparut le magasin de porcelaine; et l'éléphant! Mais avant qu'il n'ait eu le temps de lui ordonner de danser, la grosse bête avait brisé toutes les porcelaines! Le roi s'écria : «Magicien, quel maladroit tu fais!» Et c'est depuis ce jour-là qu'on dit d'un maladroit : «Voilà un éléphant dans un magasin de porcelaine!»

23 OCTOBRE

Moitié-de-Garçon

Il y avait une fois quatre frères dont trois étaient de solides garçons. Quant au plus jeune, il ne grandissait pas. Il était la risée des autres et en éprouvait un grand chagrin. Mais le pire, c'est le surnom qu'on lui avait donné : on l'appelait Moitié-de-Garçon! Un jour leur père les fit appeler et leur tint ce discours :
«Mes enfants, allez vous chercher des fiancées. Celui qui amènera la plus belle, je lui donnerai la chaumière et encore un joli champ!»
Les trois frères aînés partirent. Ils arrivèrent bientôt dans un champ de pois et entendirent des voix et des murmu-

res. Se demandant ce que cela pouvait bien être, ils cueillirent une cosse de pois et l'ouvrirent : à l'intérieur, c'était tout un royaume! Un tout petit roi et à ses côtés une reine plus petite encore; devant eux dansaient trois minuscules princesses. Les trois frères s'écrièrent :
«Nous avons trouvé nos fiancées!»
Ils voulurent emporter la cosse de pois dans leur poche. Mais survint Moitié-de-Garçon, réclamant aussi une fiancée.

24 OCTOBRE

Moitié-de-Garçon

Les frères se disputaient pour savoir qui aurait ou n'aurait pas une fiancée, mais le petit roi prit la parole :
«Mes bons seigneurs, à quoi vous serviraient des fiancées si petites. Laissez-nous en paix et je vous donnerai trois petits sacs magiques : dans le premier, il y en a beaucoup; dans le deuxième, plus qu'assez et dans le

des diables munis de gourdins qui se ruèrent sur les trois garçons. Quelle danse! Le premier en reçut beaucoup, le deuxième plus qu'assez et le troisième comme s'il en pleuvait! Quant à Moitié-de-Garçon, suivant les instructions du roi, il mit ses trois œufs à couver. Du premier sortit un palais en or, du deuxième un trône en or, du troisième une petite Moitié-de-Fille, belle à peindre, que Moitié-de-Garçon épousa.

25 OCTOBRE

Le lutin Javaletout

troisième, comme s'il en pleuvait.»
Les trois aînés, acceptèrent mais Moitié-de-Garçon s'écria :
«Il ne reste pas de sac pour moi! D'ailleurs, je n'en veux point, je veux une fiancée! Elle est petite, je suis aussi petit, et au moins elle ne rira pas de moi! »
Le roi sourit et dit :
«Puisque c'est une fiancée que tu désires, prends cette bourse. Elle contient trois œufs peints. Dépose-les dans le poulailler chez vous et tu verras qu'ils te donneront une fiancée! »
Moitié-de-Garçon accepta, prit la bourse et rejoignit ses frères. Arrivés à la maison, les trois aînés, ouvrirent fièrement leurs trois sacs. Il en sortit

Il était une fois une bonne vieille qui, chaque jour, allait dans le bois pour faire des fagots. Un jour, elle s'assit dans l'herbe pour se reposer un peu. Tout à coup, un gland tomba à ses pieds et il en sortit un tout petit bonhomme qui lui cria :
«Je suis le lutin Javaletout. Donne-moi tout de suite quelque chose à manger ou bien je t'avale! »
La bonne vieille n'avait en poche que les restes d'un croûton.
«Ne sais-tu pas que j'ai horreur du pain! Je crois que je te trouve plus appétissante! »
Il ouvrit la bouche toute grande et se précipita sur la vieille, mais elle ne l'attendit pas et se sauva. Pendant longtemps, elle n'osa retourner dans les bois, mais l'hiver venu, il lui fallut bien retourner fagoter! A peine s'était-elle assise pour se reposer, qu'à nouveau un gland chut à terre d'où, à nouveau, sortit le petit bonhomme :
«Je suis le lutin Javaletout! Donne-moi tout de suite quelque chose

à manger ou bien je t'avale! »

Cette fois la bonne vieille avait pris ses précautions : elle sortit de son tablier un pot de miel qu'elle tendit au lutin. Il y plongea le nez, oubliant tout au monde pour savourer son miel. Alors la bonne femme lui enfonça le pot sur la tête. Depuis ce jour, il y a un pot renversé qui parcourt le bois et d'où sort une voix qui crie : «J'avale tout, j'avale tout! »

26 OCTOBRE

Une étrange fiancée

Dans une contrée très lointaine, vivait un rajah sot et paresseux. Tout le jour, il se vautrait sur ses coussins, se laissant éventer par un grand panka. Il se mit en tête de se marier et réunit ses conseillers, afin qu'ils allassent lui chercher une fiancée :
«Je veux qu'elle sache marcher sur le sol et voler dans les airs, qu'elle ait une apparence humaine mais n'ait pas une apparence humaine, qu'elle ait quatre mains et quatre pieds! »
Les envoyés rencontrèrent un sanglier à qui ils firent part des exigences de leur maître et qui leur dit :
«Mais, amenez-lui une jeune guenon, elle est exactement la fiancée qu'il désire! »

Et les envoyés prirent une jeune guenon et l'amenèrent au rajah qui les couvrit d'injures; mais les conseillers répartirent :
«Votre Altesse Royale, c'est la seule créature au monde qui a et n'a pas apparence humaine, qui vole dans les airs d'arbre en arbre et marche sur le sol, qui a quatre mains et quatre pieds! »
Et le rajah dut bien épouser l'horrible bête!

27 OCTOBRE

Un voile tissé de fils de la Vierge

Dans les temps très anciens, il y avait une fois une reine. Et cette reine était une grande magicienne. De son petit doigt, elle fit naître par enchantement une poupée vivante qu'elle nomma Margot. Mais elle se plaisait à la tourmenter et imaginait toujours des tâches impossibles. Un jour d'hiver, la reine commanda à Margot de lui tisser un voile en fils de la Vierge qui la

rendît invisible. La malheureuse Margot s'en fut dans la nuit glaciale. Tout à coup, au détour du chemin, un cerf majestueux surgit devant elle.
Margot lui conta son souci et le cerf hocha la tête :
«Console-toi, tout ira bien! »
Il secoua ses cornes et la neige disparut et les arbres se couvrirent de fleurs. Il les secoua encore une fois et les arbres ployèrent sous les fruits et l'air se remplit de fils de la Vierge. Margot, bien heureuse, s'empara de la plus grande des toiles et en tissa le voile magique. Mais elle s'en couvrit et devint ainsi invisible. Et elle retourna au palais.
«Qui m'appelle? demanda la reine sorcière.
— Ta sœur, la mort», répondit Margot. La reine en fut si effrayée que, de terreur, son cœur cessa de battre. Et Margot devint reine.

28 OCTOBRE

Un amiral très méchant

Il était une fois un amiral qui était très méchant. Il naviguait sur son petit bateau et il ne cessait de sacrer et de jurer au point que des tremblements de terre bouleversaient les rivages sableux de la mer. Les matelots n'en pouvaient plus d'entendre toujours ses hurlements. Ils se concertèrent et, un jour qu'ils étaient au port et que l'amiral, selon sa bonne habitude, avait ingurgité son dixième baril de rhum ils levèrent l'ancre et mirent toute la vapeur; et les voilà filant sur les flots bleus. Juste à ce moment, l'amiral vit son bateau qui filait à son nez et à sa barbe, sous l'équateur!
«Par tous les requins, hurla-t-il quand il comprit ce qui arrivait, j'ai laissé à bord mon bicorne d'amiral! »
Et il se rua, tout droit à la poursuite de son bateau! Mais, ils étaient sous l'équateur et il dut courir très, très

loin! Il aurait réussi à le rejoindre si, du poste de vigie, tout en haut du mât, le petit mousse, Jeannot, n'avait crié :

«Monsieur l'Amiral! Attention! Monsieur l'Amiral! vous courez sur la mer!»

L'amiral regarda à ses pieds! Par tous les diables, c'était la vérité! Il tomba dans l'eau et, comme il ne savait pas nager, il s'y noya.

29 OCTOBRE

La nouvelle maison des sansonnets

Des sansonnets avaient bâti leur nid dans une ville très grande où l'on construisait des maisons qui montaient jusqu'au ciel. Quand vint l'automne, la famille des sansonnets s'envola vers des contrées plus chaudes. A l'hôtel de ville, des messieurs très importants tinrent un grand conseil afin de déterminer pourquoi les sansonnets ne passaient pas l'hiver dans leur cité. L'architecte émit un avis autorisé :

«Cela n'est pas étonnant! Je propose que nous leur construisions un grand ensemble pour oiseaux, tout à fait moderne, et vous verrez qu'ils y passeront l'hiver! »

Quand la famille sansonnet revint de ses vacances en Afrique, quel ne fut pas son étonnement!

«Quelle bâtisse! s'exclama le père sansonnet. A quel étage nous installerons-nous, ma chère? »

Après bien des disputes, ils s'installèrent à mi-hauteur. Ils s'y plurent beaucoup. L'été passa et, l'automne s'annonçant, les oiseaux firent leurs préparatifs de départ.

«Hé, leur cria un conseiller municipal, pourquoi partez-vous?

— Mais, répondit le père sansonnet, le chauffage central ne fonctionne pas! »

Quand le soleil reviendra, peut-être chercheront-ils un petit nid comme était leur ancienne demeure!

30 OCTOBRE

Le prince Barberousse et le chien géant

Il était une fois un chevalier qui avait

tu aies à me nourrir. Si tu ne le fais pas, tu devras passer sept ans comme chien de garde dans une niche.» Barberousse voulut donner un coup de pied au chien mais il vit devant lui un chien géant, grand comme une maison. Le prince se précipita dans son château. Arrivé là, il ordonna à ses serviteurs de l'enfermer dans un lit garni de barreaux de fer. Il mourait de peur que le chien ne l'emporte dans sa niche. A peine avait-il fermé les yeux que le chien géant entra dans la chambre, croqua comme du sucre les barreaux de fer, emporta le prince Barberousse, tout vêtu de fer, et le déposa dans sa niche. Là, il lui passa son collier et le méchant seigneur resta pendant sept ans au service d'un paysan qui était fort cruel. Et comme il était tout en fer, à la fin de ces sept ans, il était tout rouillé!

nom Barberousse. Tout le monde le redoutait car il tourmentait bêtes et gens; ce qu'il préférait c'était torturer les chiens et les chats. Un jour il arriva devant une ferme que gardait un chien attaché dans sa niche et qui lui dit :
«Écoute, prince Barberousse, si tu me prends sur ton dos et que tu m'emmènes dans ton château, je te servirai fidèlement pendant sept ans sans que

31 OCTOBRE

Le prix des larmes

Il y avait une fois un petit garçon qui travaillait énormément et, quand il

203

était fatigué, il allait pour se détendre jouer avec sa petite sœur au bord du lac. Ce qu'ils aimaient le mieux c'était lancer sur les eaux des petits bateaux en coquilles de noix ou en morceaux d'écorce. Un jour, ils firent ainsi deux mignonnes embarcations qu'ils gréèrent de voiles en papier et qu'ils chargèrent chacune d'une goutte de rosée. C'était leur seule richesse. Les petits bateaux revinrent aborder au rivage et dirent :

«Vos perles ressemblent à des larmes et nous n'avons pas pu en savoir le prix. Personne ne voulait les acheter parce que, dans le monde, on en a bien assez. On n'a pas besoin de larmes, quand on n'a pas de pitié.

— Bon, dit le petit garçon, quand je serai grand, j'irai en distribuer aux gens pour qu'ils connaissent le prix des larmes.»

Sur quoi, il s'aperçut que sa petite sœur s'était mise à pleurer et il lui dit :
«Ne pleure pas, je t'aime tant! »
Et les petits bateaux murmurèrent :
«Tu sais ce que c'est que la pitié : c'est la richesse des cœurs aimants! »

NOVEMBRE

1er NOVEMBRE

Le jeune homme qui avait étudié le langage des oiseaux

Il y avait une fois un paysan qui avait un fils très intelligent. Un jour, le brave homme se dit :
«Je vais le faire étudier, qu'il puisse plus tard porter des bottes comme un seigneur.»
La paysanne, sa mère, demanda :
«Et qu'allons-nous lui faire étudier ?»
Le paysan un jour entendit deux oiseaux qui échangeaient quelques nouvelles oiselières et il s'écria :
«J'y suis! Qu'il aille à la ville étudier le langage des oiseaux! »
Le fils resta un certain temps absent puis revint fièrement :
«Père, dit-il, j'ai fini mes études. Je suis capable de comprendre tout ce que les oiseaux gazouillent sur le toit.»
Le père demanda :
«Bon! Hé bien maintenant, contenous un peu ce que gazouillent les oiseaux! »
Le fils tendit les oreilles, écouta un moment et se mit à rire :
«Vous n'allez peut-être pas me croire, mon père, mais les oiseaux disent qu'un jour, vous me porterez de l'eau dans le bassin de cuivre et que maman m'essuiera les mains avec la serviette du dimanche.»
Le paysan entra dans une rage noire :
«Espèce de malappris! Tu es devenu bien orgueilleux à la ville! Sors d'ici et qu'on ne te revoie jamais! »

2 NOVEMBRE

Le jeune homme qui avait étudié le langage des oiseaux

Il erra longtemps, demandant partout du travail. Quand il disait qu'il comprenait le langage des oiseaux, toujours on le renvoyait. Finalement, le garçon entra en apprentissage chez un savetier, se disant :
«Au moins, j'apprendrai un métier utile! »
Un jour, qu'il rapetassait une vieille savate, une puce lui sauta sous la chemise. Il lui appliqua un grand coup sur la tête. La bête tomba de tout son long par terre.
«Par ma foi, s'exclama le garçon, c'est une puce de belle taille! »
Il la mesura, la dépouilla et en fit des souliers. Le maître-savetier déclara :

«Ces souliers, il n'y a que le roi qui puisse les chausser. On dit que là où il pose le pied, pendant sept ans l'herbe ne repousse plus! »

Le jeune homme s'en fut les porter au roi.

3 NOVEMBRE

Le jeune homme qui avait étudié le langage des oiseaux

Les chaussures allaient au roi parfaitement. Il dit :

«Tu es un garçon habile! Sais-tu encore faire autre chose?»

Le jeune homme lui révéla qu'il comprenait le langage des oiseaux.

«Mon garçon, tu es l'homme qu'il me faut. Depuis trois jours, trois corbeaux se sont installés sous ma fenêtre et je ne puis deviner ce qu'ils me veulent.»

Le jeune homme s'approcha de la fenêtre et tendit ses oreilles, puis traduisit au roi le discours des corbeaux :

«Ces trois corbeaux sont le père, la mère et le fils. L'année dernière fut une année de famine et la mère partit, mais le père continua de prendre soin de son petit. Ils te demandent, roi, à qui ce petit appartient!

— C'est bien facile! répondit le roi. Au père qui ne l'a pas abandonné!»

Quand les corbeaux entendirent cette sentence, ils cessèrent leurs cris et s'envolèrent. Le roi dit joyeusement : «Mon fils, tu es un sage parmi les sages. Je te donne ma fille en mariage.»

Le jeune homme accepta volontiers et, aussitôt, après les noces, il s'en fut à la chaumière de ses parents. Quand le père et la mère virent arriver ce superbe seigneur, ils voulurent lui faire honneur. Ils l'invitèrent à entrer, le père lui porta de l'eau dans un bassin de cuivre et la mère lui essuya les mains avec la serviette du dimanche.

«Vous voyez bien que les oiseaux avaient dit la vérité!» s'écria le fils en riant.

Alors ses parents le reconnurent mais le fils ne leur en voulait pas et les emmena avec lui au palais du roi.

4 NOVEMBRE

Le lutin horloger

Il était une fois une vieille ville. Au sommet de la plus haute tour, dans la vieille horloge, habitait le lutin horloger. Il prenait soin des pendules afin

qu'elles ne retardassent ni n'avançassent jamais.

Un jour, trois petits écoliers vinrent à passer et, regardant l'heure à l'horloge, eurent un coup au cœur :

«Ce va être l'heure d'entrer en classe, nous serons en retard», dit le premier.

«Nous n'aurions pas dû jouer si longtemps», soupira le deuxième.

Mais le troisième, qui était le plus malin, eut une idée :

«Demandons au lutin horloger de retarder un peu l'horloge!» proposa-t-il.

«Lutin horloger, bon lutin horloger, repousse un peu les aiguilles, nous t'achèterons un cornet de bonbons!»

Le lutin horloger était gourmand et il aimait bien les enfants. Aussi toutes les pendules, dans le monde, à l'instant même marquèrent un quart d'heure de moins et les enfants arrivèrent à temps à l'école!

5 NOVEMBRE

Le lutin horloger

Le lutin horloger attendit en vain son cornet de bonbons. Cela le mit en co-

lère contre toute l'humanité et, pour se venger, il fit tourner à l'envers toutes les aiguilles de toutes les pendules. Tout, dans le monde était sens dessus dessous! Les gens reculaient au lieu d'avancer, le lendemain devenait la veille, le soleil se levait à l'ouest et se couchait à l'est; après l'été venait le printemps, après le printemps l'hiver et après l'hiver l'automne; la nuit succédait au matin et le soir à la nuit et tout à l'avenant! Les vieilles personnes étaient très contentes parce qu'elles ne cessaient de rajeunir, mais les écoliers oublieux ne l'étaient pas du tout : de cinquième ils se retrouvèrent en sixième et ainsi de

suite jusqu'à l'école maternelle, puis ils ne furent plus que des bébés au berceau. Heureusement, l'un d'eux finalement se souvint de la promesse oubliée. Il prit un grand cornet de caramels et, vite, s'en fut le porter au lutin horloger. Celui-ci immédiatement reprit ses bonnes habitudes, et remit les pendules à la bonne heure! Le monde redevint ce qu'il était.

Le géant aux trois cheveux d'or

Il y a bien longtemps, un petit garçon naquit dans la chaumière d'une famille de pauvres bûcherons. Ce n'était pas un enfant ordinaire : il portait au front une étoile d'or, et tout petit qu'il était, savait déjà faire une infinité de choses.
Quand cet enfant naquit, une sage fée vint du bois aux pâquerettes lui servir de marraine. Elle examina le front du bébé, consulta les étoiles et dit :
«Je lis dans les étoiles que votre fils épousera la fille du roi!»

Le géant aux trois cheveux d'or

Cette étrange nouvelle se répandit et parvint aux oreilles du roi lui-même. Et cela précisément le jour où la reine avait donné naissance à une petite princesse. Le roi fut grandement fâché car il n'avait pas envie de donner sa précieuse fille au fils d'un pauvre bûcheron! Il prit les habits d'un riche marchand et se présenta à la pauvre chaumière :
«Que vous avez un joli enfant, dit-il. Confiez-le moi et j'en ferai un riche personnage.»
Le bûcheron et sa femme hésitèrent bien, mais ils finirent par accepter. Le roi prit le bébé et, sur le chemin du palais, il le précipita dans le courant furieux de la rivière, espérant bien que les vagues allaient le noyer.

Le géant aux trois cheveux d'or

Mais la rivière se calma par miracle et berça le petit enfant qu'elle amena sur la rive tout près d'un moulin où vivaient un meunier et sa femme; ils étaient déjà âgés et n'avaient point d'enfant. Aussi accueillirent-ils avec joie le bébé trouvé qu'ils appelèrent Hans. Le garçon devint bientôt un beau jeune homme. Il atteignait tout juste ses seize ans, quand éclata un jour une terrible tempête. Le roi, qui chassait dans les parages, se réfugia au moulin. Dès qu'il eut vu le jeune homme avec son étoile d'or au front, il devina qui il était. Le meunier et sa femme lui racontèrent comment la ri-

Le géant aux trois cheveux d'or

A peine les brigands étaient-ils installés dans la chaumière que Hans sortit du four où il se cachait. La jeune fille les supplia tant qu'ils l'épargnèrent; ils fouillèrent ses poches et trouvèrent la lettre du roi. Indignés de cette félonie, ils composèrent une autre missive où le roi ordonnait qu'on mariât immédiatement le messager à la jeune princesse et, le lendemain matin, la remirent à Hans qui se rendit au palais. La reine lut la lettre et n'osa désobéir aux ordres de son époux. Elle maria Hans à la princesse. Quand le roi revint, il se mit en colère contre sa femme mais celle-ci lui montra la lettre. Il se demanda bien qui avait pu lui jouer ce mauvais tour. Comme il voulait se débarrasser de ce gendre indésirable, il le fit venir et lui dit :
«Je t'ordonne d'aller me chercher les

vière leur avait apporté ce garçon et le roi vit le danger. Il écrivit à la reine un petit billet dans lequel il lui ordonnait de faire pendre sur-le-champ le messager et le remit à Hans pour qu'il le portât au palais. Le jeune homme partit aussitôt mais il se perdit dans les bois obscurs. Il aperçut une chaumière dont il s'approcha et vit à la fenêtre la fille des brigands et elle lui cria :
«Eloigne-toi, malheureux! Si les brigands te trouvent, cela ira mal pour toi!»
Mais Hans était si fatigué qu'il ne pouvait plus avancer et la jeune fille le cacha dans le poêle. Justement, les brigands rentraient.

trois cheveux d'or du géant Grand Savoir. Si tu ne m'obéis pas, tu auras la tête tranchée!»
Et Hans partit à la recherche du géant.

10 NOVEMBRE

Le géant aux trois cheveux d'or

Le jeune homme erra longtemps et, finalement, arriva aux abords d'une grande ville. La garde l'arrêta, lui demandant où il allait. Hans répondit qu'il cherchait le géant Grand Savoir.
«Nous te laisserons passer si tu nous promets de lui demander pourquoi la source où coulait l'élixir de vie s'est tarie.»
Hans promit et continua sa route. Il arriva devant une autre ville où la garde l'arrêta encore :
«Nous te laisserons aller si tu nous promets de demander au géant Grand Savoir pourquoi le pommier qui nous

donnait des pommes d'or ne nous en donne plus.»
Le jeune homme reprit sa marche et arriva sur le rivage d'une grande rivière. Le passeur assis dans son bateau, méditait tristement.
«Passe-moi, mon ami, lui dit Hans, que je puisse trouver le géant Grand Savoir.
— Il habite, répondit le passeur, dans une grotte d'or sur l'autre rive. Je t'y mènerai volontiers si tu me promets de lui demander pendant combien de temps encore je devrai continuer à passer les gens.»
Hans promit encore, et le passeur le déposa sur l'autre rive.

11 NOVEMBRE

Le géant aux trois cheveux d'or

Il vit la grand-mère du géant Grand Savoir qui s'écria :
«Pourquoi viens-tu ici, malheureux enfant! Fuis avant que mon petit-fils aux cheveux d'or arrive!»

sauter sur la rive! L'autre sera bien obligé de le remplacer!»

La bonne vieille lui arracha encore un cheveu et sut qu'il fallait tuer le serpent qui mangeait les racines du pommier d'or.

Puis le géant, ayant assez dormi, s'en alla.

12 NOVEMBRE

Le géant aux trois cheveux d'or

Mais Hans lui expliqua qu'il ne pouvait retourner sans les trois cheveux d'or sous peine de la vie et la bonne vieille lui promit de lui venir en aide. Hans lui demanda encore de poser au géant les trois questions auxquelles il devait répondre. A ce moment des pas pesants se firent entendre et la vieille eut tout juste le temps de cacher le jeune homme dans le pétrin.

Le géant mit la tête sur les genoux de sa grand-mère et s'endormit. La maligne vieille en profita pour lui arracher un de ses cheveux d'or :

«Grand-mère, pourquoi me réveilles-tu?

— J'ai fait un rêve, mon enfant, où je me demandais pourquoi la source d'élixir de vie ne coule plus!

— Si l'on tuait la grosse grenouille qui bouche la conduite, elle se remettrait à couler!»

Le géant se rendormit et la bonne vieille lui arracha encore un cheveu. Elle dit qu'elle s'était demandé en rêve si le vieux passeur devrait continuer à passer les gens pour l'éternité : «Qu'il est bête! répondit le géant. Le prochain voyageur qu'il passera, il n'a qu'à lui mettre la rame en main et

La grand-mère remit les trois cheveux d'or à Hans qui la remercia et prit le chemin du retour. Le passeur l'attendait :

«Passe-moi d'abord, dit Hans, et je te donnerai la réponse.»

Quand il fut sur l'autre rive, il lui expliqua :

«Le prochain voyageur qui voudra passer, tu devras lui mettre la rame en main et te sauver!»

Arrivé à la première ville, Hans expliqua aux habitants qu'ils devaient tuer le serpent qui dévorait la racine du pommier d'or. A la deuxième ville, il conseilla aux habitants de tuer la grenouille qui bouchait la source de l'élixir de vie. Hans reçut en récom-

pense tant d'or, de perles et de diamants qu'il revint plus riche que le roi lui-même. Celui-ci était fort cupide : il voulut lui aussi aller chez le géant

Grand Savoir. Mais quand il arriva à la rivière, le passeur lui mit la rame en main et se sauva. Si bien que ce roi cruel passe à présent les gens dans son bateau et les passera jusqu'à la fin des temps. Et Hans vécut heureux au palais avec sa jolie princesse.

13 NOVEMBRE

Le baron Nigaud de la Nigauderie

Il y avait une fois un baron Nigaud de la Nigauderie. Il était tellement bête que même les moineaux en riaient sur tous les toits. Quiconque pouvait se jouer de lui. Mais il était très content de lui et se croyait un génie. Un beau jour, arrivèrent sur ses domaines deux vieux mendiants fort misérables qui ne possédaient qu'un chien qui les avait suivis un jour. Les deux pauvres

hères frappèrent à la porte branlante du château, demandant l'aumône :
«Je n'ai rien et je ne donne rien!» cria le baron.
Il les menaça de son sabre rouillé et leur claqua la porte au nez. Les deux mendiants se dirent :
«Attends un peu, vieux méfiant, on va te donner une leçon!»
Ils ramassèrent des os autour des chaumières et les jetèrent à leur chien qui en mangea quelques-uns et enterra les autres.
Les deux vieux enfouirent auprès de chaque os enterré une petite pièce de cuivre puis retournèrent frapper à la porte du baron.

14 NOVEMBRE

Le baron Nigaud de la Nigauderie

Il les reçut encore fort mal, mais les deux vieillards, s'inclinant très bas, dirent :
«Nous ne demandons pas l'aumône. Nous voudrions vendre notre chien magique : il déterre les trésors. Le

213

premier jour, il déterre des sous de cuivre; le second des pièces d'argent et le troisième des pièces d'or! Nous sommes trop vieux pour le suivre, nous! Si tu nous donnes ta seigneurie, nous te donnerons ce chien!»

Les vieux détachèrent leur chien qui se précipita sur les os enterrés et mit au jour les sous de cuivre. Le baron Nigaud se dit :

«Si demain cet animal me trouve une pareille quantité de pièces d'argent et, après-demain, de pièces d'or, je deviendrai le plus riche seigneur de la terre!»

Il signa un écrit comme quoi il donnait son titre aux deux vieillards contre le chien. Et voilà les deux mendiants devenus seigneurs de la Nigauderie! Mais le pauvre baron Nigaud suivit en vain son chien le lendemain : de trésor, point! Bientôt, il ne lui resta plus qu'à aller demander abri dans leur grange aux deux mendiants. Ils éclatèrent de rire :

«Reprends ton vieux château en ruines! Nous préférons dormir sous la voûte des cieux!»

Ils emmenèrent leur chien et reprirent la route, racontant à tous ceux qu'ils rencontraient l'histoire du baron Nigaud de la Nigauderie.

Le Petit Chaperon Rouge

Il était une fois une petite fille de village. Sa mère lui fit faire un petit chaperon rouge qui lui seyait si bien, que partout on l'appelait le Petit Chaperon Rouge.

Un jour, sa mère lui dit :

«Va voir comment se porte ta mèregrand. Porte-lui une galette et ce petit pot de beurre.»

Le Petit Chaperon Rouge partit aussitôt pour aller chez sa mère-grand qui demeurait dans un autre village. En passant dans un bois, elle rencontra compère le Loup qui lui demanda où elle allait. La pauvre enfant qui ne savait pas qu'il était dangereux de s'arrêter à écouter un loup, lui dit :

«Je vais voir ma mère-grand et lui porter une galette et un petit pot de beurre.

— Eh bien, dit le loup, je veux l'aller voir aussi. Je m'y en vais par ce chemin-ci, et toi par ce chemin-là.»

Le loup se mit à courir et la petite fille s'attarda à faire des bouquets des petites fleurs qu'elle rencontrait.

Le loup ne fut pas longtemps à arriver à la maison de la grand-mère; il heurta : toc, toc.
«Qui est là?
— C'est votre petite fille, le Petit Chaperon Rouge, dit le loup en contrefaisant sa voix, qui vous apporte une galette et un petit pot de beurre.»
La bonne mère-grand, qui était dans son lit, lui cria :
«Tire la chevillette, la bobinette cherra.»
Le loup tira la chevillette et la porte s'ouvrit. Il se jeta sur la bonne femme, et la dévora. Ensuite, il ferma la porte, et s'en alla coucher dans le lit de la mère-grand.

16 NOVEMBRE

Le Petit Chaperon Rouge

Le Petit Chaperon Rouge vint heurter à la porte :
«Qui est là?
— C'est votre petite-fille, le Petit Chaperon Rouge, qui vous apporte une galette et un petit pot de beurre, que ma mère vous envoie.»
Le loup cria en adoucissant un peu sa voix :
«Tire la chevillette, la bobinette cherra.»
Elle tira la chevillette et la porte s'ouvrit.

Le loup lui dit :
«Viens te coucher avec moi.»
Le Petit Chaperon Rouge se mit au lit où elle fut bien étonnée de voir comment sa mère-grand était faite.
Elle lui dit :
«Ma mère-grand, que vous avez de grands bras!
— C'est pour mieux t'embrasser, ma fille!
— Ma mère-grand, que vous avez de

215

grandes jambes!

— C'est pour mieux courir, mon enfant!

— Ma mère-grand, que vous avez de grandes oreilles!

— C'est pour mieux t'entendre, mon enfant!

— Ma mère-grand, que vous avez de grands yeux!

— C'est pour mieux te voir, mon enfant!

— Ma mère-grand, que vous avez de grandes dents.

— C'est pour te manger!»

Et, en disant ces mots, le méchant loup se jeta sur le Petit Chaperon Rouge et le mangea.

Heureusement, un chasseur vint à passer. Il trouva le loup endormi dans le lit de la grand-mère, lui ouvrit le ventre. La mère-grand en sortit avec son Petit Chaperon Rouge. Alors le chasseur déposa des grosses pierres dans le ventre de l'animal et le recousit.

Et quand le loup alla boire à la rivière, par le poids des pierres, il y tomba et s'y noya.

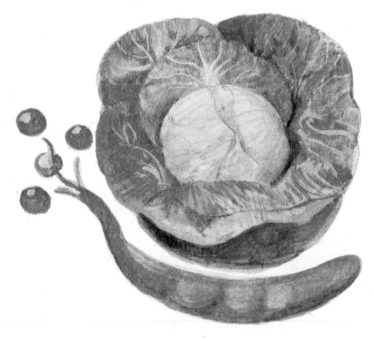

La fiancée du lièvre

Il était une fois un renard fort méchant. Dans la même forêt, vivait un lièvre malin. Un jour, il décida de se rendre dans un certain champ goûter aux choux nouveaux, lorsque surgit le renard, qui l'apostropha :
«Comment te permets-tu de manger les choux dans le champ d'autrui! Je m'en vais te dévorer tout à l'heure!»
Le lièvre, d'abord effrayé, reprit cou-

rage et répondit avec hardiesse :
«Pauvre sot, ne sais-tu pas que ce champ appartient à ma fiancée, la fée du lac? Prends-moi sur ton dos et ma fiancée te donnera une riche récompense!»
Le renard, bien sot, accepta. Le lièvre s'installa sur son dos comme un seigneur, cueillit une branche et cria :
«En route! Allons chez ma fiancée!»
Et il fouailla le renard avec sa branche. C'était un singulier équipage et toutes les bêtes en riaient.

18 NOVEMBRE

La fiancée du lièvre

Quand ils arrivèrent au lac, le renard réclama :

«Où est ta fiancée, lièvre, je veux ma récompense!
—Bien sûr, répondit le lièvre. Trempe ta queue dans le lac et ma fiancée t'y accrochera quelque chose.»
Le renard fit ce que le lièvre lui disait et il attendait : les jours passaient, les semaines, les mois . . . Vinrent les gelées et la queue du renard se prit dans la glace :
«Ah, enfin! se dit-il. La fiancée du lièvre a suspendu quelque chose à ma queue!»
Il voulut retirer sa queue de l'eau : pas moyen! Il se dit que le cadeau était d'importance. Finalement, ce furent des chiens qui entendirent les appels du renard et qui le déchirèrent. Et, à partir de ce jour, les animaux du bois eurent la paix!

19 NOVEMBRE

Le fils ingrat

Il y avait une fois une pauvre veuve qui vivait avec son fils sur le rivage d'un lac immense. L'enfant, qui se nommait Si Angui, demanda un jour à sa mère ce qu'il y avait sur l'autre rive et la mère lui chanta :
«Bien loin, bien loin, sur l'autre rive,
C'est le royaume du bonheur!»
«Mais, ma mère, répondit Si Angui, l'enfant de la femme, le bonheur n'habite-t-il pas dans notre maison? J'y ai mon petit chat, mon chien bien-aimé. J'ai une natte où m'étendre, et toi qui me berce dans mon sommeil!»
Ils continuèrent leur vie heureuse mais Si Angui, de plus en plus souvent, envoyait maintenant ses regards vers l'autre rive, se demandant com-
ment était le royaume du bonheur. Un soir, il vit contre le ciel étoilé des voiles blanches. Elles brillaient comme un sourire du soleil et chantaient comme flûte de roseau :
«Mère, cria le fils de la femme, le bonheur vogue vers nous!»

20 NOVEMBRE

Le fils ingrat

La mère et le fils attendaient que la nef du bonheur abordât. Ce fut un vieillard chauve et très laid qui descendit sur la rive. Si Angui sentit lui monter des larmes de déconvenue. Mais le vieillard dit à la mère :

«Je suis le plus riche marchand du royaume des îles. On m'a dit, que tu vis ici avec ton fils dans une grande pauvreté. Je n'ai personne à qui léguer mes richesses. Confie-moi Si Angui. Je lui apprendrai à vendre le sel et à acheter les perles, à tirer de l'or des gousses de cacao. Qu'il vogue avec moi jusqu'à l'autre rive du lac.»

La mère répondit :

«Si Angui est heureux ici.»

Mais Si Angui se mit à crier :

«Mère pourquoi me retenir? Laisse-moi traverser le lac et acheter le bonheur. Quand je serai l'homme le plus riche de ces contrées, je bâtirai un palais de rouge corail marin et je viendrai vous chercher!»

La mère pleura puis s'inclina, disant :

«Que les esprits bienfaisants te protègent!»

21 NOVEMBRE

Le fils ingrat

Si Angui navigua longtemps en compagnie du vieillard, allant d'île en île. Il apprit l'éclat de l'or et l'orient des perles et amassa de grandes richesses. Mais il ne rencontrait pas le bonheur; plus il devenait riche et plus son cœur s'endurcissait. Le vieillard, son maître fidèle, murmura un jour :

«Mes jours sont maintenant comptés, Si Angui. Mais je voudrais te dire, avant de mourir, que je me suis trompé sur ton compte : la richesse et le luxe ont changé ton cœur en pierre. Je voulais t'enseigner que le bonheur ne s'achète pas. Tu es le plus pauvre au royaume des îles, fastueux Si Angui! Si tu veux faire revivre ton cœur mort, tiens la promesse que tu as faite

à ta mère, retourne vers elle!»

Il dit, sourit et se changea en un monceau de diamants étincelants. Si Angui, qui avait désappris de pleurer, se rua sur ce trésor de rêves et s'écria :

«Je tiendrai ma promesse! Je dois construire le palais en rouge corail. Ensuite, j'irai chercher ma mère!»

22 NOVEMBRE

Le fils ingrat

Si Angui construisit son palais et le puissant rajah, roi des rois, lui donna sa fille en mariage. Si Angui devint roi mais son cœur lui pesait comme une pierre. Un jour, il dit à son épouse :

«Bien loin, au-delà des mers et des jungles, m'attend ma mère que j'ai abandonnée. J'avais promis de l'amener avec moi dans le palais de rouge corail marin»

Ils partirent à la tête d'une magnifique caravane vers le lac lointain. En arrivant sur la rive, Si Angui murmura :

«C'est le royaume du bonheur!»

Quand ils abordèrent à la rive opposée, une vieille femme décharnée, vêtue de misérables haillons se précipita

les bras ouverts, accompagnée d'un chat et d'un chien :
«Si Angui, s'écria-t-elle, as-tu enfin trouvé le bonheur?»
Les larmes jaillirent des yeux de Si Angui, il éprouvait un amer regret d'avoir laissé sa mère dans la misère. Il se jeta à genoux, en suppliant :
«Pardonne-moi, ma mère! Pardonnez-moi, animaux bien-aimés! Je ne vous quitterai plus jamais. Mon bonheur est auprès de vous.»
A peine avait-il prononcé ces mots que lui tomba du cœur la lourde pierre. Si Angui avait enfin trouvé le bonheur.

23 NOVEMBRE

La marmite magique et les boules enchantées

Il y avait une fois un sacristain pauvre . . . Un jour d'hiver, il envoya sa femme à la ville, vendre leur dernière poule pour qu'ils puissent payer leurs dettes. La route était pleine de neige et la femme s'assit au coin d'un bois. Un petit homme avec une longue barbe surgit devant elle et lui dit :
«Si tu veux, je t'échange ta poule contre une marmite magique. Si tu la couvres et que tu commandes : «remplis-toi, pansue!» elle te mijotera telle nourriture dont tu auras envie. Mais, je te préviens, ne la lave jamais!»
La femme prit la marmite et lui donna la poule. Le petit homme s'en retourna dans le bois. Quand la femme rentra chez elle, son mari la gronda, mais elle couvrit la marmite et commanda : «remplis-toi, pansue». En un clin d'œil, la marmite se remplit de mets délicieux. De ce jour, elle leur procura tout ce dont ils avaient envie. Mais la femme se désolait de voir sa marmite si sale. Un matin, elle se mit à l'astiquer. Tout à coup, elle se sentit frappée et la marmite s'enfuit vers le bois.

24 NOVEMBRE

La marmite magique et les boules enchantées

A partir du funeste jour où la marmite s'était enfuie, la misère revint dans la chaumière. Un jour, le sacristain prit un agnelet dans l'étable et dit à sa femme :
«Cette fois, c'est moi qui irai tenter ma chance : peut-être rencontrerai-je le petit magicien.»
Arrivé dans le bois, il s'assit sur une pierre et attendit. Tout à coup, se fit

entendre une voix :
«Sois le bienvenu, sacristain! Si tu veux, donne-moi ton agnelet pour cette boule de bois.»
Derrière lui se tenait le petit homme : «Un agneau pour une boule de bois?» s'étonna le pauvre homme.

Mais le petit magicien sourit :
«Quand tu l'auras emportée chez toi, ferme bien soigneusement portes et fenêtres et commande : ''sois bien polie et salue!'' et tu verras bien ce qui arrivera!»
Le sacristain n'hésita pas longtemps. Il donna son agneau, le petit homme l'enfourcha et disparut dans le bois. En rentrant à la maison, le sacristain commanda à la boule : «Sois bien polie et salue!» La boule se mit à rouler, tout à coup, la calotte se souleva et il en sortit de tout petits lutins. Les uns disposèrent la nappe, les autres de la vaisselle et des couverts d'or et les autres encore apportèrent les plats remplis de nourriture. Le sacristain, sa femme et ses enfants se régalèrent. Quand ils eurent fini, les lutins desservirent et disparurent dans la boule.

La marmite magique et les boules enchantées

Le bonheur du sacristain ne dura pas longtemps. Son curé entendit parler de la boule enchantée. Il prétendit que c'était œuvre du diable, et il s'en empara. Quand le pauvre homme se vit au bord de la famine, il prit un veau et s'en retourna dans le bois. Le petit homme lui donna contre son veau une boule semblable à la première, mais un peu plus grosse. Quand le sacristain la fit rouler sur son plancher, il en sortit deux géants armés de gourdins qui administrèrent au malheureux une telle volée de coups qu'il en faillit rendre l'âme! Puis ils disparurent. Le sacristain ramassa la boule et la porta à son curé. Celui-ci traitait justement des amis et les petits lutins ne suffisaient point au service :
«Je vous apporte quelque chose de mieux, Monsieur le curé», dit le sacristain.
Le curé prit la grosse boule, la soupesa, la jeta à terre et commanda : «Sois bien polie et salue!» A ces mots, les géants se jetèrent sur le curé et ses hôtes et s'en donnèrent à cœur joie. Le sacristain s'empara des deux boules et retourna à la maison. Et la chaumière connut à nouveau l'abondance. Mais un jour, les boules roulèrent jusqu'au bois. On ne les a jamais revues depuis.

Un air de flûte

Il y a très longtemps, arriva chez un petit garçon une souris qui voulait voyager jusqu'aux cieux. Il invita la souris et promit qu'il l'emmènerait parmi les étoiles. Mais il se demandait si une chose que l'on espère ne fait pas plus plaisir que ce que l'on possède. Il alla chercher une vieille flûte et se mit à jouer ce qui lui passait par le cœur. C'était une mélodie ravissante. La souris ne se lassait pas de l'écouter et elle soupira :
«Toujours tu resteras présent dans mon souvenir. Je n'oublierai pas que tu voulais me conduire aux cieux, même si nous n'y arrivons jamais. J'ai fait en t'écoutant le plus merveilleux des voyages. Merci de m'avoir tant donné par un petit air de flûte!»

27 NOVEMBRE

La lettre perdue

Il était une fois un jeune facteur qui distribuait les lettres dans une ville lointaine. Un jour, un coup de vent fit envoler toutes les lettres du sac du facteur. Or, l'une d'elles était très importante. C'était un jeune prince qui

l'avait écrite à sa princesse bien-aimée, pour lui dire qu'il ne tarderait pas à revenir pour l'épouser. La petite princesse, qui attendait des nouvelles, était plus triste chaque jour. Cependant le jeune facteur se faisait du souci de n'avoir pas distribué ses lettres. Il s'en alla à la recherche des lettres perdues. Il finit par retrouver les lettres, sauf celle qui était si importante! La pauvre princesse pleurait. Mais, un beau jour, arriva un pigeon voyageur qui tenait en son bec cette importante missive. Le facteur la porta à la princesse, et sur son visage refleurit le sourire. Qu'advint-il du prince et de sa princesse? Ils se marièrent et passent leur temps à envoyer des lettres à tous les enfants gentils.

28 NOVEMBRE

La petite Etincelle

Il y avait une fois trois garnements qui se disaient :
«Si nous pouvions allumer un feu, nous ferions griller des saucisses!»
Tout à coup surgit une petite étincelle :

«Je suis Etincelle! Si vous jouez avec moi, je vous allumerai un feu!»
Ils promirent et apportèrent une poignée de branches sèches, Etincelle se mit à danser dessus et bientôt le feu crépita. Mais quand Etincelle les pria de jouer avec elle, ils lui tirèrent la langue. Et ils sautaient par-dessus le feu. Etincelle perdit son sourire, puis récita : «Pic et Pic et Colegram!» Alors, comme les trois garçons sautaient au-dessus du feu, les braises sautèrent dans leurs habits. Quelle course vers la rivière! Ils se plongèrent dans l'eau glacée! Ils auraient bien voulu demander pardon à la petite Etincelle, mais plus jamais ils ne la rencontrèrent!

29 NOVEMBRE

La reine des serpents

Il était une fois une jeune bergère qui avait trouvé un serpent sous un églantier. De cruels oiseaux l'avaient déchiré. La jeune fille pansa ses blessures. Elle était aimée d'un jeune valet qui vint, à quelque temps de là, demander sa main. Le père, un riche fermier, chassa le jeune homme, ne voulant pas d'un gendre pauvre. La jeune fille s'en alla un jour, désespérée, s'asseoir sous l'églantier. Le serpent lui demanda la cause de son chagrin. Elle ne croyait pas qu'il pût l'aider mais lui raconta son histoire. Le serpent dit alors :
«Baise-moi au front, je suis seul au monde et personne ne m'aime!»
La jeune fille déposa un baiser sur son front. A ce moment, des flammes brûlèrent la ferme du père.

30 NOVEMBRE

La reine des serpents

Cependant, tout souriait au pauvre valet évincé et il devint bientôt le plus riche propriétaire de la contrée. Le jeune homme, toujours fidèle, revint demander au fermier devenu pauvre la main de sa fille. Le père, cette fois, l'accepta tout en lui demandant de lui pardonner sa dureté passée. Tout le village fut invité à leurs heureuses noces. Au plein milieu de la fête, se présenta sur le seuil un serpent qui portait une petite fée. «Je suis la reine des serpents, dit-elle. J'ai voulu te récompenser de ta bonté. Souviens-toi qu'il faut souvent un mal pour un bien. La misère où j'ai plongé ton père a adouci son cœur!» Ayant dit ces paroles, elle disparut à jamais.

DÉCEMBRE

1ᵉʳ DÉCEMBRE

Nawarana et le Géant des neiges

Bien loin dans le Nord, il y a une chaumière enfouie sous la neige où habitent trois petits bonshommes de neige. Pendant le jour, ils vivent comme des enfants ordinaires: skient, font de la luge, vont à vélo jusqu'à la ville voisine, pour s'acheter des glaces et des bonbons. Mais soir venu, ils se disent les contes des pays de neige. Ils m'ont invité un jour et m'en ont conté un :

Il était une fois une fillette qui s'appelait Nawarana. Elle habitait dans un igloo, loin au-delà du cercle polaire, au pays des aurores boréales où règne une longue nuit étoilée. Par ces longs hivers, Nawarana restait dans son igloo, écoutant les récits sur le grand ours des neiges qui se promène dans les cieux, ou sur la baleine blanche à la crinière d'or. Dehors, tout était recouvert de glace mais dans l'igloo régnait une douce tiédeur et, quand Nawarana s'endormait, elle rêvait que le renne-magicien la transformait en un flocon de neige, de ceux qui apportent le bonheur aux humains.

Nawarana et le Géant des neiges

Le renne-magicien est une femmelle de renne, toute blanche et très bonne : elle exauce les vœux secrets. Nawarana la connaissait bien et laissait tomber chaque jour une larme dans le feu, pour que le renne pût deviner ses vœux secrets. Nawarana aurait été très heureuse si son frère aîné ne lui avait joué des tours pendables : il lui mettait des stalactites glacées dans les cheveux ou lui glissait des paquets de neige dans son lit. Elle n'osait pas le dire de peur qu'il ne la tourmente encore davantage. Un jour que leurs parents étaient partis à la chasse, il fut tellement méchant que Nawarana s'enfuit seule dans la grande nuit polaire et supplia : «Bon renne-magicien, emporte-moi très loin, là où mon frère ne pourra plus me faire de chagrin!»
Elle vit alors dans la toundra, la silhouette d'un renne blanc et au-dessus de sa tête se mirent à briller les rayons d'une aurore boréale.

224

3 DÉCEMBRE

Nawarana et le Géant des neiges

Mais bientôt l'ombre blanche se dissipa et l'aurore boréale s'éteignit. La pauvre enfant se mit à errer très longtemps et arriva enfin au pied d'une montagne qu'elle escalada. Elle atteignit un endroit plat mais, tout à coup, le sol se mit à bouger. Nawarana s'enfuit en courant mais se retrouva devant une autre haute montagne entièrement recouverte d'une glace très épaisse et au milieu de laquelle se creusait un abîme. Il s'en échappait un tourbillon de vent qui épouvanta tellement la fillette qu'elle escalada un pic aigu qui dominait le bois. Une voix épouvantable retentit :
«Que fais-tu ici, malheureuse? Veux-tu donc que je t'avale?»
Nawarana chercha qui pouvait bien hurler ainsi mais ne vit personne.

4 DÉCEMBRE

Nawarana et le Géant des neiges

Nawarana se sentit défaillir de terreur

en entendant ce cri épouvantable et demanda d'une voix tremblante :
«Qui m'appelle? Esprit, me veux-tu du bien ou du mal?
— Stupide enfant, je suis Kinak, le Géant des neiges. Tu t'es assise sur le bout de mon nez, ça me chatouille et je ne peux m'empêcher d'éternuer!»
Et le géant éternua, jetant en l'air Nawarana qui se rattrapa de justesse à son menton.
«Pendant combien de temps vas-tu encore me marcher dessus? grommela la grosse voix. D'abord, qui es-tu?»
Nawarana lui raconta son histoire et le géant reprit :
«J'ai tout de suite pensé que c'était le renne-magicien qui t'avait envoyée. C'est ma sœur et elle sait bien que je m'ennuie tout seul. Je suis si grand que je ne peux pas me tenir debout et je reste allongé là tout le temps. Cela me manque de n'avoir pas d'ami; aussi tu peux installer ta tente à côté de mon nez.»
Alors Nawarana comprit que la grande crevasse d'où sortait un ouragan était la bouche du géant. Mais il avait parlé si gentiment qu'elle résolut de rester auprès de lui.

5 DÉCEMBRE

Nawarana et le Géant des neiges

Nawarana dressa sa tente auprès du nez monumental du géant et vécut là, gardant le troupeau de rennes que Kinak lui avait attrapé. Elle se trouvait heureuse, racontait au géant les contes que l'on disait dans son igloo, et, en échange, il la laissait pêcher des poissons dans ses yeux qu'il avait profonds comme des lacs. Mais un jour, le géant l'entendit pleurer silencieusement et devina qu'elle s'ennuyait de sa famille. Il grommela : «Il vaudrait mieux que tu t'en retournes! Je n'ose pas respirer trop fort pour ne pas te bousculer. Retourne auprès de tes parents et si ton frère te tourmente, appelle-moi!»
Il prit tout doucement Nawarana dans sa main et souffla très fort : la fillette s'envola comme un flocon de neige et vint retomber devant son igloo.
«Où as-tu traîné si longtemps?» lui cria son frère.
Il s'apprêtait déjà à lui jouer un tour de sa façon mais Nawarana appela : «Kinak, mon bon Kinak, au secours!
Et le bon géant éternua si fort en direction du méchant garçon que celui-ci roula sur la plaine glacée pendant trois jours et trois nuits.

6 DÉCEMBRE

Le petit ondin Brinlinlin et son ami le chien

Le petit ondin Brinlinlin aimait beaucoup quitter son ruisseau natal pour

se promener. Sa mère lui répétait : «Ne va pas ainsi sur la terre sèche, c'est dangereux pour les ondins!»
Un jour, il rencontra un chien abandonné qui lui dit :
«Ne veux-tu pas être mon ami, je suis si seul et si triste!»
Brinlinlin eut pitié du petit chien et, chaque soir, venait jouer avec lui jusqu'à l'heure du coucher. Un jour de mauvais garnements s'écrièrent : «Un ondin, chassons-le loin de l'eau.»
Ils poursuivirent le pauvre Brinlinlin le chassant loin de l'eau et, plus il s'éloignait de l'élément liquide, plus il perdait ses forces. Mais son ami le chien, avisant un seau d'eau qui était par là, le renversa. Le petit ondin s'y plongea avec délices, reprit des forces et put regagner son ruisseau.

7 DÉCEMBRE

L'ABCD des contes que le vent dispersa

Jadis, dans les temps très anciens, n'existait qu'une seule histoire qui contenait tous les contes, par ordre alphabétique. Mais, un jour, un coquin de vent dispersa les feuillets aux quatre coins de la terre. Parfois, quelqu'un trouve une des lettres de l'ABCD. Justement, voici un pigeon qui nous apporte la lettre H! Que va-t-elle nous conter?

Il était une fois un père et une mère qui avaient sept garçons et qui désiraient fort une fille. Ils furent bien heureux quand elle naquit et, un jour, le père envoya ses sept fils quérir de l'eau à la fontaine pour baigner la petite. Les garçons revinrent bien tard. Le père en colère cria :
«Vous mériteriez d'être changés en noirs corbeaux!»
Aussitôt, les enfants furent changés en corbeaux et se mirent à tourner en gémissant au-dessus de leur maison.

Mais la lune ne répondit pas. La fillette réunit ses dernières forces et alla jusqu'aux étoiles.

8 DÉCEMBRE

L'ABCD des contes que le vent dispersa

Voilà que des petits oiseaux nous apportent la lettre S! Le malheureux père qui était la cause de la métamorphose de ses fils en noirs corbeaux faillit en mourir de douleur. Heureusement qu'il lui restait sa petite fille. Un jour, elle trouva sept chemisettes de garçon et ses parents durent lui dire la triste histoire. La fillette décida de libérer ses frères. Elle alla d'abord trouver le soleil :
«Beau soleil, gentil soleil, dis-moi où je trouverai mes frères ensorcelés?»
Le soleil ne répondit pas. Elle alla trouver la lune :
«Charmante lune, douce lune, enseigne-moi le chemin pour retrouver mes frères!»

9 DÉCEMBRE

L'ABCD des contes que le vent dispersa

Voyez, voyez, où donc ces oiseaux ont-ils trouvé la lettre C? Nous allons savoir la suite : la fillette arriva chez les étoiles et la gentille étoile du matin lui dit avec un doux sourire :
«Mon enfant, tes frères sont enfermés dans une colline de cristal. Prends

227

cette arête, elle t'en ouvrira la serrure.»

Elle prit congé de la fillette juste au moment où, dans le ciel, apparaissait un arc-en-ciel. La petite y grimpa et il lui servit de pont pour parvenir à la colline de cristal.

A l'intérieur de la colline la fillette trouva un nain horrible qui lui dit : «Si tu veux délivrer tes frères, tu dois, de tes mains nues, arracher des orties de verre, en filer un fil de verre, en tisser une toile de verre et en coudre sept chemises de verre. Si demain matin tu n'as pas fini ton travail, tu seras, toi aussi, changée en noir corbeau!»

10 DÉCEMBRE

L'ABCD des contes que le vent dispersa

Hé bien, vous voyez ce moineau : il nous a trouvé la lettre K. Voilà : la fillette ne perdit pas courage : de ses mains nues, elle arracha les orties de verre! Qu'importe si elles la brûlèrent. Elle fila, tissa, cousit et, au matin, elle avait presque fini mais n'avait pas encore posé les manches à la septième

chemise. Alors elle entendit au-dessus de sa tête un bruit d'ailes : c'étaient sept noirs corbeaux qui lui criaient :

«Le soleil va se lever! Dépêche-toi, chère petite sœur!»

Vite, la fillette les revêtit des sept chemises de verre, la colline de verre se changea en un palais d'or et la fillette vit devant elle sept beaux jeunes hommes, ses sept frères. Le septième, avec la chemise sans manches, avait conservé deux ailes noires à la place des bras. Ils retournèrent alors chez leurs parents. Puis toute la famille revint s'installer dans le palais d'or et sans doute y vivent-ils encore heureux.

11 DÉCEMBRE

La reine des loutres

Dans le lac du bois, poussa jadis une fleur magnifique. Vint à passer un jeune roi qui voulut l'emporter. Il sauta dans le lac et nagea jusqu'aux eaux

profondes; mais, dès qu'il eut touché la fleur, une loutre se montra :
«Qui ose voler les fleurs de mon trésor royal?»
Elle toucha le roi de sa baguette de roseau, et il fut changé en une perle irisée qui glissa au fond des eaux.
«Tu y resteras, dit la loutre, aussi longtemps que quelqu'un n'aura pas pleuré pour toi autant de larmes qu'il y a de gouttes d'eau dans ce lac.»

12 DÉCEMBRE

La reine des loutres

La reine, sa mère, partit à sa recherche, et entendit la fleur magique qui chantait l'histoire du roi ensorcelé. La reine s'assit sur la berge et se mit à pleurer. Elle pleura très longtemps mais ce n'était pas suffisant! Alors à ses yeux perlèrent des gouttes de sang. Quand elle eut répandu tout son sang, la loutre apparut et déposa la perle aux pieds de la malheureuse mère. La perle redevint le jeune roi. La fleur magique devint une belle jeune fille, la reine ouvrit les yeux et sourit. Le jeune roi et la belle jeune fille s'écrièrent ensemble :
«Merci, mère, de nous avoir délivrés!»

13 DÉCEMBRE

Le petit bateau à remontoir

Il était une fois un petit garçon à qui

son grand-père avait donné un bateau à remontoir. Il emplit une pleine baignoire d'eau, remonta le ressort et le bateau se mit à naviguer. Mais, tout à coup, se levèrent des vagues et l'eau de la baignoire devint la mer immense. Le petit bateau se transforma en un gros navire. Le petit garçon sauta à bord et s'empara du gouvernail, criant :
«Mettez toute la vapeur! En avant!»
Et le petit garçon, tenant ferme le gouvernail, disait fièrement :
«Nous allons découvrir l'Amérique!»
Mais, peu à peu, le bateau rapetissa. Quand il fut redevenu un petit jouet, l'immense océan redevint une simple baignoire remplie d'eau. C'est bien dommage car le petit garçon n'a pas pu découvrir son Amérique! Bien sûr,

on sait que Christophe Colomb l'a découverte, il y a bien longtemps! Mais chacun a sa petite Amérique à découvrir!

14 DÉCEMBRE

La reine et le cavalier du jeu d'échecs

Il y avait une fois une petite fille qui trouva un jeu d'échecs où il ne restait

plus qu'une reine triste et un vieux cavalier. La reine devenait de plus en plus triste et le cavalier avait une mine si mélancolique que la fillette s'en mit à pleurer. La reine ouvrit un petit parapluie en disant :
«Tiens, il pleut!»
Le mélancolique cavalier se réfugia sous le parapluie.
Le cavalier se remémorait les heureux temps anciens où il allait au combat avec son roi perdu. Ils étaient malheureux et la fillette ne savait comment

les égayer. Un jour, elle trouva les pièces perdues et les réinstalla sur l'échiquier. Alors, les trompettes se mirent à sonner joyeusement en haut des tours, la reine embrassa son roi en souriant et tous deux donnèrent le signal aux cavaliers d'entrer en lice.
A la fin du tournoi, la reine et le vieux cavalier saluèrent la petite fille.

15 DÉCEMBRE

Quand les animaux voulurent se construire une maison commune

Il y avait une fois une girafe, un singe, un perroquet et un moineau qui vivaient dans le même Zoo. Un jour, le singe eut une idée :
«Dites, les amis, si on se construisait une maison commune? Tout le monde trouva cela très bien et chacun se mit à expliquer comment cette maison devait être.
— Le principal, dit la girafe, c'est que le toit soit bien haut pour que je n'aie pas à courber la tête!
«Le principal, dit le singe, c'est qu'il y pousse des arbres.»
Le perroquet désirait que la maison contînt un perchoir et je ne sais quoi encore.
«Bah, dit le moineau. Notre maison doit être faite d'herbe et de brindilles, petite et douillette comme un nid et que le vent n'y souffle pas.»
Ils se mirent à bâtir mais la maison ne fut jamais terminée. Un jour, elle était trop vaste, un autre jour, elle était trop petite, et puis trop comme ci, et puis pas assez comme ça! Et le singe soupira :
«Il n'y a rien à faire! Une maison

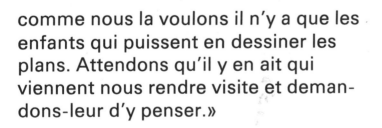

Il lui naquit une petite fille blanche comme la neige, au visage vermeil comme le sang et aux cheveux noirs comme l'ébène. On la nomma Blanche-Neige. Mais la pauvre reine mourut en la mettant au monde et, un an après, le roi amena au palais une nouvelle épouse. Elle était fort belle, mais aussi méchante qu'elle était belle. Elle était versée dans la magie et les sortilèges et possédait un miroir magique qu'elle interrogeait chaque jour :
«Miroir, miroir joli,
Quelle est la plus belle au pays?»
Et le miroir répondait :
«Madame la Reine, vous êtes la plus belle au pays!»

17 DÉCEMBRE

Blanche-Neige

Cependant Blanche-Neige grandissait et devenait chaque jour plus belle. La

comme nous la voulons il n'y a que les enfants qui puissent en dessiner les plans. Attendons qu'il y en ait qui viennent nous rendre visite et demandons-leur d'y penser.»

16 DÉCEMBRE

Blanche-Neige

Il était une fois une reine qui cousait assise à sa fenêtre. C'était l'hiver et des flocons de neige s'amoncelaient sur le noir bois d'ébène. La reine vint à se piquer et trois gouttes de sang tombèrent sur la neige blanche.

231

Blanche-Neige

La pauvre Blanche-Neige erra dans les grands bois, pleurant très fort. Elle se trouva dans une clairière où se tenait une chaumière qui était faite de mousses et de pommes de pins et éclairée par des lucioles. Epuisée, Blanche-Neige entra sur la pointe des pieds. Comme c'était joli! La petite salle était accueillante et bien propre. Au milieu, la table était dressée : sur une nappe blanche, sept petites assiettes. Contre les murs, Blanche-Neige vit sept petits lits couverts de draps bien blancs. La fillette avait grand-faim : elle prit dans chaque assiette une bouchée, but à chaque gobelet une gorgée; puis elle essaya chaque petit lit, se coucha dans le septième et s'endormit. Quand le soir tomba, sept nains arrivèrent en chantant. Dès qu'ils furent entrés dans la chaumière, ils s'arrêtèrent comme pétrifiés.

reine s'approcha une fois de plus de son miroir et lui demanda :
«Miroir, miroir joli,
Quelle est la plus belle au pays?»
Et le miroir répondit :
«Madame la Reine, ici, vous êtes la plus belle
Mais Blanche-Neige est encore mille fois plus belle!»
La reine en fut furieuse. Elle fit venir un chasseur et lui ordonna d'emmener dans les bois la petite Blanche-Neige et de la tuer.
«Comme preuve que tu m'as obéi, ajouta-t-elle, tu me rapporteras son cœur!»
Le chasseur emmena la charmante petite fille dans les bois. Celle-ci, qui ne se doutait de rien, cueillait les fleurs. Le chasseur eut pitié d'elle, il lui répéta les ordres de la reine et lui dit de ne jamais revenir au palais. Puis il tua une biche dont il rapporta le cœur à la cruelle marâtre.

Blanche-Neige

Les sept nains regardaient vers la table, restant bouche bée! Le premier

dit : «Qui s'est assis sur ma chaise?»
Le second dit: «Qui a touché mon assiette?»

Le troisième dit : «Qui a cassé un bout de mon pain?»
Le quatrième dit : «Qui a mangé mes légumes?»
Le cinquième dit : «Qui s'est servi de ma fourchette ?»
Le sixième dit : «Qui a coupé avec mon couteau ?»
Le septième dit : «Qui a bu dans mon gobelet?»
Puis le premier alla vers son lit et vit l'édredon dérangé. Il dit :
«Qui s'est couché dans mon lit?»
Et le septième vit Blanche-Neige endormie sur son lit. Ils s'approchèrent tous et s'écrièrent en chœur, frappés par sa beauté :
«Comme elle est jolie!»
Tout doucement, pour ne pas la réveiller, ils allèrent se coucher. Le lendemain matin, Blanche-Neige fut effrayée à la vue de ces étranges petits bonshommes, mais ils lui souriaient si gentiment qu'elle leur confia sa triste histoire. Le premier lui dit :
«Si tu veux tenir notre ménage, tu peux rester avec nous. Mais n'ouvre jamais la porte à personne car ta méchante marâtre ne tardera pas à savoir où tu es!»
Et Blanche-Neige resta dans la chaumière des sept nains.

Blanche-Neige

Un jour, la méchante reine interrogea son miroir :
«Miroir, miroir joli,
Quelle est la plus belle au pays?»
Et le miroir répondit :
«Madame la Reine, ici, vous êtes la plus belle,
Mais, au-delà des monts d'airain
Auprès des gentils nains,
Blanche-Neige est mille fois plus belle!»
La reine entra dans une grande colère, se rendit à la chaumière des nains, frappa à la porte et dit d'une voix douce :
«Je vends, ma jolie enfant, de bien belles choses : Que veux-tu?»
Blanche-Neige ne reconnut pas sa marâtre et acheta un lacet d'or pour son corselet. La méchante reine s'offrit à la lacer elle-même et elle la serra si fort que la pauvre enfant tomba inanimée sur le sol. C'est ainsi que la trouvèrent les sept nains quand ils revinrent le soir.

21 DÉCEMBRE

Blanche-Neige

Les sept nains délacèrent bien vite le

233

fatal lacet et elle revint à elle :
«N'ouvre plus jamais à personne!» lui recommandèrent-ils.
Blanche-Neige promit. Cependant la méchante reine, une fois de plus, interrogea son miroir magique qui lui répondit :
«Madame la Reine, ici, vous êtes la plus belle,
Mais, au-delà des monts d'airain
Auprès des gentils nains,
Blanche-Neige est mille fois plus belle!»
La reine se précipita dans sa chambre où elle choisit un peigne d'argent empoisonné. Elle retourna à la chaumière des sept nains :
«Ma belle enfant, achète-moi ce peigne d'argent qui siéra si bien à tes cheveux noirs», dit-elle d'une voix douce.
Blanche-Neige ne voulut pas la laisser entrer. Mais elle entrouvrit la fenêtre et se laissa passer le peigne dans les cheveux. Aussitôt, elle tomba comme morte sur le sol. Quand les nains rentrèrent, c'est en vain qu'ils lui frappèrent dans les mains; mais le plus petit aperçut le peigne fatal, le lui enleva et elle reprit ses couleurs. Ils grondèrent bien fort la pauvre Blanche-Neige. La reine cependant, rentrée au palais, se précipita aussitôt devant son miroir qui lui dit :
«Madame la Reine, ici, vous êtes la plus belle,
Mais, au delà des monts d'airain,
Auprès des gentils nains,
Blanche-Neige est mille fois plus belle!»
La reine s'en évanouit de rage!

22 DÉCEMBRE

Blanche-Neige

La méchante reine, cette fois, s'habilla en paysanne. Arrivée à la chaumière des sept nains, elle offrit une pomme empoisonnée à Blanche-Neige qui n'en voulut pas; alors elle dit :
«Ne crains rien, mon enfant! Vois, j'en mange moi-même!»
Elle mordit dans la moitié saine et offrit l'autre à la malheureuse enfant qui, dès qu'elle l'eut mordue, tomba sans vie. Quand les sept nains la trouvèrent, ils ne purent la ranimer. Désespérés, ils déposèrent leur bien-aimée Blanche-Neige dans un cercueil d'argent avec couvercle de cristal. Un jour, vint à passer un beau prince. Quand il vit cette jeune fille si ravissante, il supplia les nains de la lui

laisser. Les bons nains à la fin acceptèrent. Les serviteurs portèrent le cercueil par les sentiers de la forêt. Tout à coup, le cercueil tomba et se rompit, le morceau de pomme empoisonné s'échappa de la gorge de Blanche-Neige. Elle se redressa et regarda avec étonnement autour d'elle. Le prince et les nains étaient fous de joie!

Le prince emmena Blanche-Neige dans son château et l'épousa sur l'heure.

23 DÉCEMBRE

Le sapin des enfants abandonnés

Il est un bois profond et silencieux où pousse un sapin magique. Sur ses branches brillent des bougies allumées. Des cadeaux y sont suspendus, destinés aux enfants abandonnés. Jour et nuit, des oiseaux viennent prendre ces cadeaux qu'ils distribuent dans le monde entier. Un enfant gâté vint habiter auprès de ce bois et y vit le sapin magique. Immédiatement, il le désira pour lui tout seul car il était terriblement égoïste. Il le scia et le replanta dans son jardin. Cette année-là, les malheureux enfants abandonnés n'eurent pas le moindre cadeau pour la Noël. Quant à l'égoïste enfant gâté, il retrouva l'arbre au matin tout sec et ne portant plus aucun jouet. Et il se retrouva lui-même muet!

«Tu seras incapable de parler tant que tu ne m'auras pas arrosé de tes larmes pour que je reverdisse», lui dit tristement le petit sapin. Epouvanté, l'enfant pleura tant que les branches reverdirent et que les cadeaux reparurent; à ce moment, il recouvra la parole. Il se précipita chez lui et cria à sa mère :

«Maman, je ne serai plus jamais égoïste!»

Depuis, chaque année, l'arbre magique se pare de bougies et de cadeaux et l'enfant vient y suspendre d'autres cadeaux pour les pauvres enfants qui sont seuls au monde.

24 DÉCEMBRE

Conte de Noël

Il était une fois un petit garçon qui attendait la calme et sainte nuit de Noël et que des cieux tombât le plus beau des souhaits :

«Paix sur la terre aux hommes de bonne volonté!»
Il était seul dans sa petite chambre. Il se dit :
«Je vais prendre mon violon et aller jouer un chant de Noël à l'Enfant Jésus!»
Il attendit que tout dorme à la maison, mit son violon sous son bras et s'échappa par la fenêtre. Il marcha par les rues désertes de la ville jusqu'à ce qu'il arriva dans un grand jardin silencieux où s'élevait la statue d'une belle jeune fille qui pinçait les cordes d'un luth. Elle sourit et lui demanda où il allait :
«Je vais à Bethléem jouer un noël à l'Enfant Jésus!
— Je vais avec toi», dit la statue!

Conte de Noël

Ils marchèrent longtemps dans la longue nuit glacée. Ils passèrent près d'un bonhomme de neige et lui adressèrent la parole mais il ne répondit pas : il était perdu dans ses songes, il rêvait au pays des grands nuages blancs où étaient restés ses parents. Il dormait profondément, respirant doucement, avec un sourire sur les lèvres. Puis le garçon et la jeune fille virent un petit oiseau, tout transi sur une branche, et lui dirent :
«Viens avec nous, nous allons jouer un chant de Noël à l'Enfant Jésus!
— Je veux bien, répondit l'oiseau car je suis tout seul et c'est très triste!»
Ils allèrent donc tous les trois. C'était la nuit de Noël et chacun sait qu'il s'y produit des miracles. Nos trois pèlerins solitaires laissèrent la ville derrière eux et continuèrent leur route vers une étincelante étoile qui brillait dans les cieux.

Conte de Noël

Et nos trois pèlerins poursuivirent leur route, ils se sentaient en même temps tristes et bienheureux. Ils commençaient à se demander combien de temps encore ils allaient ainsi errer dans la nuit quand ils aperçurent une chaumière enfouie dans la neige. Tout autour, l'air sentait le foin frais et, dans l'étable, on apercevait une brebis et un âne. A la fenêtre, brillait la flamme d'une bougie et il sembla aux

se rendormit sur sa branche et l'enfant se blottit dans les bras de sa maman. Quand il s'éveilla, le lendemain matin, il trouva sous son sapin de Noël un livre plein d'images et de belles histoires.

La petite sœur Pomme-de-Pin

Il était une fois trois petits frères. Ils s'aimaient beaucoup mais étaient souvent tristes parce qu'ils regrettaient de n'avoir point de petite sœur. Un jour, ils allèrent se promener dans

trois voyageurs qu'apparaissait une petite Vierge Marie tenant son enfant dans ses bras. Elle s'avançait vers eux avec un doux sourire; la statue et le petit garçon se jetèrent à genoux et l'oiseau s'inclina comme il put. Puis la jeune fille prit son luth, l'enfant son violon et ils accompagnèrent l'oiseau qui chanta un noël d'une voix si pure et si belle que les étoiles en versèrent des larmes. Quand ils eurent fini, toutes les cloches se mirent à carillonner, tous les arbres de Noël s'illuminèrent et tous les hommes de la terre se mirent à chanter :
«Douce nuit, sainte nuit . . .»
Quand toutes les voix se turent, les trois voyageurs s'inclinèrent devant la flamme de la bougie et prirent le chemin du retour. La jeune fille de pierre remonta sur son socle au milieu du grand jardin silencieux, le petit oiseau

les bois et, tout à coup, une pomme de pin tomba qui s'écria :

«Enfin me voici sur terre!»

Ils virent qu'il ne s'agissait pas d'une pomme de pin ordinaire, mais d'une toute petite créature avec une jupe en écailles de pomme de pin. Elle leur plut fort et ils lui demandèrent si elle ne voulait pas être leur petite sœur. Elle accepta et les trois garçons la ramassèrent tout doucement et l'emmenèrent à la maison. Ils prirent bien soin d'elle mais, au bout d'un certain temps, la petite sœur Pomme-de-Pin avait toujours les larmes aux yeux, elle languissait et dépérissait. Un jour enfin, elle avoua :

«Je m'ennuie de l'arbre où je suis née!»

Ses frères retournèrent donc dans le bois qu'ils prièrent :

«Petit bois, gentil bois, donne-nous un arbre pour notre petite sœur Pomme-de-Pin!»

On entendit des bruits et un arbuste tomba aux pieds des trois garçons. Ils l'emportèrent chez eux, le plantèrent dans le jardin devant la fenêtre et y suspendirent leur petite sœur. Tout de suite, les couleurs lui revinrent. Tous les oiseaux du ciel se précipitèrent pour venir chanter avec elle. Depuis ce jour, les trois petits frères ont dans leur jardin un arbuste qui chante jour et nuit.

28 DÉCEMBRE

L'oiseau de glace

Il était une fois une bonne grand-mère qui vivait avec ses deux petites-filles, Marouchka et Barouchka. Marouchka était sage et gentille, Barouchka ne faisait rien et pensait qu'un prince de légende viendrait l'épouser. Vint un terrible hiver. Un soir, un petit oiseau s'abattit près d'elles, il était glacé et chantait doucement et tristement.

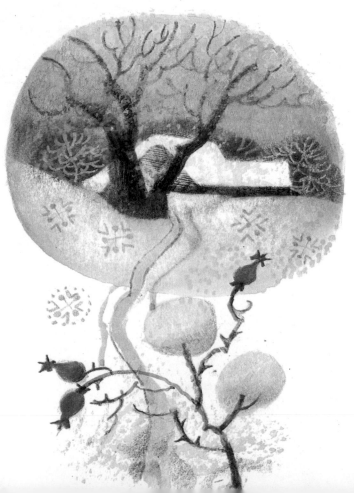

238

Les deux jeunes filles se précipitèrent et Barouchka ramassa l'oiseau, mais cela lui glaça les mains et elle le rejeta. Marouchka le prit, s'allongea sur son lit et mit la pauvre petite bête contre son cœur pour la réchauffer. Quand elle s'éveilla le lendemain, un prince aux cheveux blonds était près d'elle et lui dit :
«Merci de m'avoir délivré en me réchauffant sur ton cœur. Jamais je ne te quitterai!»
Et ce ne fut pas l'égoïste Barouchka mais la généreuse Marouchka qui épousa un beau prince.

29 DÉCEMBRE

La princesse Flocon de Neige

Il était une fois un pauvre potier qui vivait tout seul dans sa chaumière. Un soir qu'il tombait de la neige, il sortit et recueillit des flocons. Tous fondirent rapidement sauf un. Il se transforma en une jolie petite créature qui se présenta gracieusement :
«Le roi Hiver m'envoie pour que tu ne sois plus seul, je suis la princesse Flocon de Neige.»

Le potier fut bien content et voulut la faire entrer dans sa demeure. Mais elle se récria :
«Je fondrais immédiatement! Construis-moi un petit palais de neige et tu m'y rendras visite!»
Le potier fit ce que lui disait la princesse Flocon de Neige et, de ce jour, il ne fut plus jamais triste. Aux premiers rayons de soleil, le palais fondit et la petite princesse disparut. Mais elle revint chaque hiver.

30 DÉCEMBRE

La princesse Flocon de Neige

Bientôt le bruit se répandit que le potier avait une fille d'une ravissante

239

beauté et la nouvelle en parvint au roi. Il fit mettre les chevaux à son traîneau qui volait sur la neige.

Quand il arriva devant le palais de neige, la jeune fille apparut, toute blanche et resplendissante comme un flocon de neige. Il fut ébloui de sa beauté et s'écria :

«C'est toi que je veux pour femme et nulle autre!»

Le potier essaya de dissuader le roi mais celui-ci ne voulut rien entendre et déclara :

«Si tu me donnes ta fille, tu auras de moi tout ce que tu voudras! Mais si tu n'acceptes pas, je te ferai trancher la tête!»

Alors Flocon de Neige murmura : «Père, ne craignez rien. Demandez au roi sa bague et dites-lui que je veux le recevoir dans mon palais de neige.»

Le roi donna sa bague et entra dans le palais de neige. Alors, il se mit à geler et le méchant roi se changea en une stalactite de glace. Au printemps, le palais avec le roi et Flocon de Neige fondit au soleil. Comme le potier possédait la bague royale, il devint le souverain du pays. Et Flocon de Neige? Elle revint chaque année, toujours plus belle!

31 DÉCEMBRE

Le bon petit lutin des rêves

Loin, bien loin de nous, la Nuit siège sur son trône lunaire. Près d'elle, un étang magique fleuri de nénuphars étend ses eaux sacrées. On voit s'y

épanouir le plus beau des nénuphars. Dans ses pétales déployés, s'éveillent le bon petit lutin des rêves et la charmante fée des merveilles. La fée porte des souliers de verre, sa jupe est une cloche de cristal, le lutin des rêves entremêle à sa chevelure de la poussière d'étoile. Il s'en exhale une mélodie cristalline qui chante doucement aux oreilles des mortels et les plonge bientôt dans un doux sommeil. Le lutin murmure sa douce berceuse, les étoiles descendent du ciel. Prêtez l'oreille, n'entendez-vous pas, au loin, un chant? Le bon lutin des rêves vous invite dans son royaume!